博士（理学）
小谷太郎 著 Taro Kotani

なぜ科学者は平気でウソをつくのか

捏造と撤回の科学史

Forest 2545 Shinsyo

謝辞
韓国語資料については小谷桜氏に御教示いただきました。藤岡毅博士にはルィセンコ事件関係者の消息について御教示いただきました。お礼申し上げます。

はじめに

科学の世界にはときおり捏造《ねつぞう》が登場します。

ある研究者の大発見が世間を驚かしますが、他の研究者が追試しても、同じ結果が得られません。やがて論文に画像の細工と文章の剽窃《ひょうせつ》が見つかり、すべてはでっち上げだったと判明します。大発見は幻でした。

こうした科学の捏造事件は、どういうわけか、私たちの興味を奇妙に惹《ひ》きつけます。捏造は「面白い」のです。

人間は様々な動機から嘘《うそ》をつきます。コミュニティの中で成功したい、承認されたい、利益が欲しいといった、利己的な理由からつく嘘があります。他人を操作したい、傷つけたいといった悪意のある嘘もあるでしょう。また、いくら考えても合理的に説明できない、不可解な嘘をつく人もいます。

嘘の中でも科学の捏造には際立つ特徴があります。捏造研究者は大発見を報告します。常識を覆《くつがえ》し、人々の認識を変え、社会を変革する成果が得られたと主張します。そういう科学の新たな勝利に、私たちは感嘆し、胸躍らせます。

いい換えると、科学の捏造には「夢」があるのです。

本書では、研究者の皮をかぶったクリエイターの夢の名残《なごり》を紹介します。

中国は武漢から始まった新型コロナウイルス感染症。その膨大な感染者のデータをすべて集めて分析すれば、特効薬を見つけることができるのではないでしょうか。デサイ博士は10万人もの治験データから、治療薬の効果を分析しました。イベルメクチンがCOVID－19に有効だという噂《うわさ》は買い占め騒動を引き起こしました。しかしデサイ博士は、その治験データを共同研究者にさえ見せようとしませんでした。

試験管で核融合を起こしたとぶち上げたポンズ教授とユタ大は、アメリカ下院に2500万ドルの研究予算を要求しました。しかし常温核融合は研究者から囂々《ごうごう》たる批判を浴び、ポンズ教授は失踪《しっそう》します。

史上最高の捏造研究者シェーン博士は、魔法のような性能を持つナノテク素子を次から次へと作製し、大量の論文を生産しました。しかし調査委員会がその試料を確認しようとしたところ、シェーン博士は1個も提示できませんでした。

まだ記憶に新しいSTAP細胞と、その先輩にあたる韓国の事件、ヒトES細胞は、もし本当ならば、難病を治し、医療を革新するはずでした。

マウスの皮膚移植に成功したといい張るサマーリン医師は、思い余ってマウスにペンでぶちを描き入れてしまいました。

日本勢も負けてはいません。石器掘りの神様こと藤村新一氏が地面を掘じくり返すと、数十万年前の旧石器が転がり出ます。世界最古の原人文化に考古学研究者は感激して議論しました。(知的なはずの研究者や権威ある大学教授が幼稚な手口に騙《だま》されて狼狽《ろうばい》するのも、捏造事件の「面白さ」です。)

こうして科学史に燦然《さんぜん》と輝く捏造事件を調べていくと、ある悲しい結論に到達します。それは、捏造を科学から根絶することはできないということです。

科学の発展のためには、誰でも自由に研究を行ない自由に発表できることが必要です。

そしてそういう環境では必然的にある割合で捏造が発生するのです。「正しい」研究活動を促進すると、捏造・誇張・誤謬《ごびゅう》も紛れ込むのです。

もしも「正しくない」研究を根絶するため、研究者を倫理や社会道徳に合致しているかチェックし、発表の自由を制限したら、学問は停滞し、社会に多大な悪影響がもたらされるでしょう。

そのことはかつてソ連において最悪の形で実証されました。当時の政治思想と合致しているとされたルィセンコ学説が、大勢の研究者や市民の人生を破壊し、命を奪い、ソ連社会とそれから世界のマルクス主義運動に深刻なダメージを与えるさまは、第7章で紹介します。

捏造を根絶することはできません。しかしだからといって捏造はやり放題というわけでもありません。捏造は必ず発覚します。捏造された研究成果は自然科学の法則に反するため、追試は失敗し、他の研究結果と矛盾し、遅かれ早かれ否定されます。

つまり、科学は異物を排除する免疫機構を備えているのです。

本書のテーマは科学史です。といっても、登場するのは偉大な科学者ではありません。大発見の瞬間が描写されるのでもありません。登場するのは誘惑に弱い人間で、あつかわれるのは過《あやま》ちの瞬間です。彼ら彼女らの叶《かな》わなかった夢と野望が社会に波乱を及ぼすさまを、歴史上の事件として記述するのが目的です。

そういう事件を紹介するにあたって、本書は科学を軸とし、科学の観点から論じます。捏造の舞台は派手な記者会見ではなく科学論文そのものであるという考えから、撤回された論文をできる限り入手して、一文一文を読み込みました。それがどれほど革新的な論文だったか、理解するための基礎知識を、なるべく平易に解説しました。捏造事件について読むうちに、その分野の知識も得られる本が、本書の目指すところです。

とはいえ捏造研究者の活躍分野は多岐にわたります。筆者の専門分野外の論文も少なからずあり、読み違いをしている箇所もあるかもしれません。ミスを見つけましたらご指摘ください。

小谷《こたに》太郎《たろう》

なぜ科学者は平気でウソをつくのか——目次

第3章　ナノテク・トランジスタ　史上最大の捏造・ベル研事件

第6章 118番元素 新元素発見競争でトップを狙《ねら》ったバークレー研事件

第7章　農業生物学　スターリンが認めたルィセンコ学説

第8章　皮膚移植　サマーリンのぶちネズミ

第9章 旧石器遺跡 暴かれた「神の手」の正体

第1章

10万人のCOVID－19治験データ

サージスフィア事件

2019年に発生した新型コロナウイルス感染症COVID-19は、またたくまに全世界に蔓延《まんえん》し、莫大《ばくだい》な感染者と死者を出しました。2021年の本書執筆時点で、まだパンデミックは終わっていません。

COVID-19のため、医学と分子生物学の手法は大きく変化しました。第一に、莫大な数の論文が短期間で生産されました。第二に、それらの論文のうち多くが、査読という通常の手順を経ずに、学術誌掲載前のプレプリントとして流通し、治療法や政策に影響をおよぼしました。そして第三に、撤回される論文も記録的な数にのぼったのです。

パンデミック

まず、この世界的大流行（パンデミック）の経緯を振り返りましょう。

2019年12月31日、中国武漢で肺炎患者が44人発生したことが報告され、2020年1月5日には世界保健機関（WHO）が未知の感染症について警告を発しました。これが新型コロナウイルス感染症「COVID-19（COronaVIrus Disease 2019）」の始まりでした。

COVID-19を引き起こす新型コロナウイルスは「重症急性呼吸器症候群関連コロ

ナウイルス」を意味する「SARS-CoV-2（Severe Acute Respiratory Syndrome CoronaVirus 2）」と名づけられました。なんだかややこしいですが、「ＣＯＶＩＤ－19」は病気の名称で、「SARS-CoV-2」はその原因となるウイルスを指します。

「コロナウイルス」の仲間はいわゆる風邪の病原体です。ヒトに風邪を引き起こす主なコロナウイルスは４種類います。この４種のコロナウイルスに感染しても、つまり風邪をひいても、ほとんどの場合は軽快します。

しかし自然界ではときおり、他の動物を宿主《しゅくしゅ》としていたウイルスが、なんらかの偶然により、ヒトに感染することがあります。勝手の違うヒトの体内でそのウイルスが増殖できたり、さらにヒト個体からヒト個体へ感染できるとは限らないのですが、極々《ごくごく》まれに、両方に成功して病気を引き起こす場合があります。そうなると新型のウイルス感染症の発生です。ＣＯＶＩＤ－19もそういう不幸な例でした。

新型コロナウイルスSARS-CoV-2は、もともとコウモリを宿主としていたと考えられています。それがヒト個体に感染したところ、思いもよらぬ高い感染力と致死力を発揮したようです。

おそらく読者のみなさんは、ＣＯＶＩＤ－19の性質についてすでにうんざりするほど聞かされているでしょうから、なるべく簡潔に述べます。ＣＯＶＩＤ－19には、インフルエンザやありふれた4種のコロナウイルスによる風邪と異なる、三つの恐るべき特徴がありました。

一つ目は感染力が高いことです。1人の感染者が数十人に感染させた例も報告されました。感染者の吐く息に含まれる微細な飛沫《ひまつ》には、SARS-CoV-2のウイルス粒子が無数に潜《ひそ》んでいます。咳《せき》やくしゃみだけではなく、普通の会話でも感染力のある飛沫が放出される点がＣＯＶＩＤ－19の特徴です。

二つ目は、多くの感染者が無症状か軽症で、感染に気づかないことです。感染者のうち症状が表れるのは、5人に1人とも、半数程度ともいわれています。無症状の感染者は（ＰＣＲ検査を受けないかぎり）それと知らずに周囲と接触し、ウイルスを広めます。

そして三つ目は、きわめて致死率が高いことです。ＣＯＶＩＤ－19は感染者のうち0・5〜2％が死亡すると見積もられています。例えば別の致死的ウイルス感染症であるインフルエンザは、日本では感染者の0・002〜0・02％が死亡します。ＣＯＶＩＤ－19はこれに比べて10倍〜1000倍の圧倒的な致死率です。

このかつてない強力な感染症は、武漢にまたたくまに蔓延《まんえん》しました。最初の報告からたった1ヶ月で累計感染者は3万人を超え、新規感染者は毎日3000人増え、死者は最終的に中国全土で4000人以上にのぼりました。世界は不安な面持ちで中国情勢を見守りました。

中国政府は武漢をはじめとする都市に外出禁止令を出してロックダウンし、数万床の入院病棟を約10日で建設しました。都市に出入りする者に感染検査を義務づけ、入国者は2週間隔離しました。

こうした強権的で荒っぽい対策は効き目があり、中国の国内新規患者は3月には激減しました。世界最初にCOVID－19の大流行が生じた中国は、世界最初にこれを制圧した国となりました。

しかしこの間に、ウイルスSARS-CoV-2は世界に流出しました。2月末にはイタリアとスペインで累計感染者が1000人を超え、イランがそれに続きました。3月には100を超える国で感染が発生し、そこら中の国に感染者がいる状態になりました。累計感染者は10万人を突破しました。

2020年3月11日にWHOはパンデミックを宣言します。

そしてその後の世界は、あらゆる国が全力で感染者数を増やすレースをしているような様相を示しました。どの国でも、手をこまねいているうちに感染者が爆発的に増え、重症者で病院はあふれ、死者数のグラフが上がっていきました。

医療関係者は疲弊し、外出禁止や自粛で街に人けがなくなり、馴染《なじ》みの店が次々閉店し、人々はマスクをつけ交流を避け、世の中の様子はすっかり変わりました。

２０２１年本書執筆時点で、世界の累計感染者は１億人を超え、死者は２５０万人を超えています。

COVID−19を迎え撃つ先端科学

地球規模のパンデミックは、１９１８年〜１９２０年のスペイン風邪（５０００万人〜１億人以上死亡）や、１９５７年〜１９５８年のアジア風邪（１００万人以上死亡）など、これまで数回発生したことがあります。いずれも大きな被害と恐ろしい記憶を残しました。

しかし今回のＣＯＶＩＤ−19は、これら歴史的パンデミックと決定的に違う点があります。現在の人類が分子生物学の知識を蓄積し、ウイルスの構造を解析する手段を持ち、高度な遺伝子関連技術を開発していることです。

２０２０年１月11日、中国の研究者によってSARS-CoV-2の遺伝子配列が読み取られ、インターネット上の遺伝子データベースにて公開されました〈注１〉。最初の報告からたったの11日後です。

例えばインフルエンザの場合、１９３１年にウイルスが確認されてから、１９８１年に遺伝子配列が読み取られるまで、50年かかりました。それに比べると驚異的な早さです。

この高速化は、「ポリメラーゼ連鎖反応」または「ＰＣＲ（Polymerase Chain Reaction）」と呼ばれる技術によって実現しました。ＰＣＲは生物の遺伝情報であるＤＮＡを大量に複製して増やします。遺伝子配列の読み取りは、かつては何年もかかる大変な事業でしたが、今ではＰＣＲ（と、他の多くの技術革新）のおかげで、ほんの数時間で行なえます。ＰＣＲは（ウイルスだけでなく）広く生物の遺伝子情報の読み取りに利用されて、生物学や医学や農業や人類学など多くの分野を書き換え中です。

SARS-CoV-2の場合、１月11日の最初の報告を皮切りに、世界中の患者からSARS-CoV-2の遺伝子配列が次々に読み取られて公開されました。データベースには現在数千株の配列が登録されています。

こうしたデータベースからは、ウイルスの変異や伝播《でんぱ》状況や感染経路が、いまだかつてない詳細さで突き止められています。また、COVID－19のために実用化されたmRNA（メッセンジャーRNA）ワクチンは、まったく新しい医療技術で、今後の人類と感染症との戦いを変えていく可能性があります。

これらの例が示すように、COVID－19のおかげで医療科学と生命科学は大きく進展したといえます。


COVID－19についての知識は急激に集積され、大勢の研究者によって科学論文が大量かつ迅速に生みだされました。2020年中に発表されたCOVID－19関連の論文は、10万本とも20万本ともいわれます〈注2〉。

このパンデミックのもとでは、科学論文が通常たどる、査読と書き直し、続いて受理（または掲載拒否）、そして出版という手順は時間がかかりすぎるため、実質的な簡略化が進みました。多くの論文が査読と受理を待たず、投稿と同時にインターネット上に公開されました。そういう掲載前に公開された論文は「プレプリント」と呼ばれます。

そうして大量かつ迅速に生み出された論文には、残念ながら質の低いものも混じっていました。2020年はまた、100本近い論文が撤回された年でもあります〈注2に同じ〉。そして質の低い論文がすべて撤回されるわけではありません。

撤回の理由は、編集部による二重掲載などの単純ミスもあれば、内容の誤りによるもの、理由が公開されてないものなど、様々です。

そして中には、（本書のテーマである）捏造《ねつぞう》論文も含まれていたのです。

疑惑のヒドロキシクロロキン

2020年5月23日、WHOは「ヒドロキシクロロキン」という薬によるCOVID－19の試験治療を一時休止することに決めました。その安全性に疑問が高まっているというのです。

ヒドロキシクロロキンはマラリアの治療薬です。当時様々な医薬品が、COVID－19の治療薬として使えないか検討されていましたが、ヒドロキシクロロキンはその一つでした。

WHOの心配の原因は、医学誌『ランセット』に掲載された、『マクロライドを用いる場合と用いない場合のヒドロキシクロロキンとクロロキンによるCOVID－19治療‥複数国の登録データ解析〈注3〉』という論文にありました。

論文の著者はブリガム・アンド・ウィメンズ病院のマンディープ・R・メーラ（1967〜）医長、サージスフィア社のサパン・S・デサイ（1979〜）博士、チューリッヒ大学病院のフランク・ロシツカ（生没年不詳〜）教授、ユタ大学のアミット・N・パテル（生没年不詳〜）医師です。

それによると、6ヶ国671の医療機関から集めた9万6000人のCOVID－19患者のデータを解析したところ、ヒドロキシクロロキンはCOVID－19患者の容態を改善しなかったというのです。それどころか、死亡率を高め、心疾患を誘発するといいます。別の抗マラリア薬「クロロキン」の場合も同様の結果です。抗生物質マクロライドは併用してもしなくても変わらないとのことです。

薬が効かないばかりか、COVID－19の患者に害があるかもしれないとなると、ことは重大です。しかもそれは、約10万人もの膨大な治療データから得られた結果だといいます。WHOが心配するのも当然でしょう。

メーラ医長、デサイ博士、パテル医師らは、この論文の少し前の2020年5月1日に、別の論文を『ニューイングランド・ジャーナル・オブ・メディシン』に発表していました。『心血管疾患、薬物療法、COVID－19による死亡率〈注4〉』です。こちらはアジア、ヨーロッパ、アメリカの169の病院の患者8910人のデータを用いた研究だといいます。

この論文によると、心血管に疾患を持つ患者はCOVID－19で死亡する率が高いそうです。ただし心血管疾患の薬物療法は、死亡率に影響をもたらさないという結果です。(関係者は一安心です。)

それにしても、『ランセット』と『ニューイングランド・ジャーナル・オブ・メディシン』は医学分野のトップジャーナルです。評判が高く信頼されている学術誌であり、当然のことながら査読も厳しいため、ここに論文を受理してもらうのは簡単ではありません。それに立て続けに論文を掲載するとは、どうも大変に優秀な研究者グループのようです。

メーラ医長とデサイ博士とパテル医師らは、また別の重要論文を発表していました。

2020年4月の初めごろにプレプリント・サーバSSRN（Social Science Research Network）に投稿された『COVID－19に対するイベルメクチンの有効性〈注5〉』です。

これは1408人の患者のデータを用いたというもので、抗寄生虫薬イベルメクチンがCOVID－19の治療薬として使えるという、希望の持てる研究です。

イベルメクチンは、大村智《おおむらさとし》（1935～）北里大学特別栄誉教授が地中の細菌から見つけた物質です。線虫という生物グループを殺すもので、様々な恐ろしい寄生虫症から大勢の人々を救いました。大村智栄誉教授はこの功績でノーベル生理学・医学賞を受賞しました。

そのイベルメクチンがCOVID－19に効き目がありそうだという研究結果は、日本人には嬉《うれ》しいニュースですが、世界にも大いなる期待を持って受けとめられました。

特に、ペルーをはじめとするラテンアメリカの国では、イベルメクチンがCOVID－19に有効だと政府が発表したため、薬局のイベルメクチンはたちまち売り切れ、人々はペット用の寄生虫駆除薬まで買い漁《あさ》るという騒動になりました。

これらの研究は、イベルメクチンを投与されたCOVID－19患者や、ヒドロキシクロロキンを投与されたCOVID－19患者などの、何万人分ものデータを集めて分析したものだといいます。

しかしパンデミックが始まってからほんの1ヶ月ほどで、そんなに大量のデータを集められるものでしょうか。それぞれの医師と病院がてんでんばらばらなやり方で記録した治療データを、10万人分も整理してデータベースに入力するなんて、考えただけで気が遠くなります。また法的な問題はないのでしょうか。10万人のCOVID－19患者が、自分のデータを研究に用いることを承諾したかどうか、本当に確認したのでしょうか。

それを約1ヶ月でやってのけたのは、デサイ博士が創立した『サージスフィア』という企業だといいます。

デサイ博士とは何者なのでしょうか。

サージスフィアはデサイ博士が経営する教科書販売会社です。

デサイ博士は経営者であり、心血管疾患を専門とする医師でもあります。そしてこの事件が起きた後で、メディアが調べたところによると〈注6〉、共著者の1人のパテル医師とは、結婚による義兄弟の関係にあります。

問題の3本の論文のうちの2本の筆頭著者であるメーラ医長は、パテル医師の紹介で、デサイ博士と知り合ったといいます。

こう聞くと仲の良さそうな3人ですが、論文に対する疑念が業界に沸き起こると、その後の対応は分かれました。

論文は、膨大な患者データをどうやって集めたかを説明していないばかりでなく、多数の不審な点がありました。例えば患者のうち喫煙者の割合は、どの国の患者もほとんど同じで、これは統計的にありえません。

疑惑を抱いた約200名の研究者らは、2020年5月28日に論文著者と『ランセット』に対して〈注7〉、6月2日には論文著者と『ニューイングランド・ジャーナル・オブ・メディシン』に対して公開書簡を送り〈注8〉、論文に対する懸念を表明しました。

デサイ博士を除いた論文共著者たちは、デサイ博士に対し、10万人分の生データを見せるように要求しました。それまで患者データはデサイ博士が独占し、データ解析も独りで行なっていました。

しかしデサイ博士はデータを見せることを拒否しました。「プライバシーを守るという協定があるから」というのがそのいいわけでした。

これを受けて、デサイ博士を除く共著者たちは、論文の撤回に同意しました。

２０２０年6月4日、『ランセット』のヒドロキシクロロキン論文と、『ニューイングランド・ジャーナル・オブ・メディシン』の心血管疾患論文は撤回されました。

（プレプリント・サーバに投稿されていたイベルメクチンの論文は、5月の時点で、メーラ医長によってひっそり取り下げられていましたが、正確な日付はわかりません。）

これをもって、サージスフィア事件は科学的には終了しました。

事件後と事件前

２０２０年6月3日、ヒドロキシクロロキン論文とデサイ博士の主張がおかしいことが誰の目にも明らかになって、WHOはヒドロキシクロロキンの試験の再開を発表しました。試験が休止されていたのは、5月23日から6月2日までの10日間でした。

しかしその後の試験で、ヒドロキシクロロキンは、COVID-19治療薬としては大した効果を発揮しませんでした。7月4日、WHOはヒドロキシクロロキンをCOVI

D－19治療薬候補から外しました。

結局、デサイ博士のヒドロキシクロロキン論文はCOVID－19治療薬の開発を妨害したのですが、不幸中の幸い、被害は最小限に食い止められました。

一方、デサイ博士のイベルメクチン論文の影響はそれより悪質で深刻です。ペルーで起きたイベルメクチン騒動の引き金になった可能性があります〈注9〉。

そして現在のところ、イベルメクチンのCOVID－19に対する効果は証明されていません。もし治療効果があるとしても、デサイ博士の論文の主張するほどではないと思われます。

明らかになった様々な証拠は、問題の3論文が、存在しないデータを基にして書かれたことを示しています。そして関係者のうち、データが存在していると主張しているのはデサイ博士だけです。

本書で紹介する捏造事件では、多くの場合、真相を調べる調査委員会が設置されています。しかしこの事件は（世間のほとんどの捏造事件と同じく）、論文の撤回で事件が終わり、捏造の首謀者は特定されていません。

けれどもこの事件がデサイ博士の「単独犯行」であることはまず確実でしょう。捏造論文に詳しいエリザベス・ビク（１９６６〜）博士は、デサイ博士の学位論文を調べて、そこに画像捏造の証拠を見つけています〈注10〉。これはデサイ博士が常習的に捏造していたことを強く示唆します。本書で取り上げる「ベル研究所事件」のシェーン博士と同様に、デサイ博士は学生のころから捏造に手を染めていたと思われます。

まとめと評価——捏造は瞬時に指摘される時代に

- 発表から撤回まで……１ヶ月
- ストーリーの科学的インパクト……地味
- 捏造の巧妙さ……１日後に指摘
- 社会的影響……致死的
- 総合……☆

まとめとして、この事件を科学における捏造の一つとして評価しておきます。

この捏造論文は、発表から撤回までどれくらいの期間「持った」でしょうか。『ニューイングランド・ジャーナル・オブ・メディシン』にて2020年5月1日に公開された論文が、6月4日に撤回されています。1ヶ月という比較的短い期間でした。これを、社会を騙《だま》しおおせた期間の目安として挙げておきます。

これらの論文では、いくつかの治療法や医薬品が、COVID－19に効果や影響があるか述べています。大発見を狙《ねら》う捏造者なら、特効薬を発見したと発表しそうですが、そういうわけでもなく、ヒドロキシクロロキンはむしろ悪影響があることにされています。主張が地味で、ある意味珍しい捏造です。

この捏造の特徴は、結論は地味なのに、用いたデータは10万人という大ボラを吹いていることです。どうも意図がつかみにくい捏造者です。ともあれそのため、データの不自然さが直ちに指摘されました。巧妙な捏造ではありません。

社会的影響は深刻で重大です。COVID－19の間違った治療法の発表は、患者の命に関わります。決して許されません。

捏造された研究論文とその影響、事件としての大きさを総合的に評価して星をつけておきます。影響が笑い事ですまされないことと、主張が地味なために、星1個としておきます。

科学における捏造はときおり世間を騒がせます。捏造ケースにはそれぞれ個性があり、また共通のパターンもあります。本書ではそういう個性とパターンが明らかになることを期待しつつ、科学史に燦然《さんぜん》と輝く捏造事件を紹介します。（まさかこんな与太話が信じられるとは、こんな手口が通用するとは、という驚きの連続です。）

数々の捏造の事例をたどることにより、我々人類がいかに学ぶことをせず、騙されやすく、信じやすいかを知り、それとともに、逆説的ですが、科学という手法の確かさを確認することが本書の狙いです。

捏造は科学史の一部なのです。

教訓 地味で意図のわかりにくい捏造も存在する。主張する内容から捏造は見分けられない。

〈注1〉 Fan Wu, Su Zhao, Bin Yu, Yan-Mei Chen, Wen Wang, Zhi-Gang Song, Yi Hu, Zhao-Wu Tao, Jun-Hua Tian, Yuan-Yuan Pei, Ming-Li Yuan, Yu-Ling Zhang, Fa-Hui Dai, Yi Liu, Qi-Min Wang, Jiao-Jiao Zheng, Lin Xu, Edward C. Holmes, Yong-Zhen Zhang, 2020, "Severe acute respiratory syndrome coronavirus 2 isolate Wuhan-Hu-1, complete genome," https://www.ncbi.nlm.nih.gov/nuccore/MN908947

〈注2〉 Holly Else, 2020, "How a torrent of COVID science changed research publishing—in seven charts," Nature, 588, p553.

〈注3〉 Mandeep R. Mehra, Sapan S. Desai, Frank Ruschitzka, Amit N. Patel, 2020, "Hydroxychloroquine or chloroquine with or without a macrolide for treatment of COVID-19: a multinational registry analysis," Lancet, May 22 p1.
２０２０／06／04、撤回。

〈注4〉 Mandeep R. Mehra, Sapan S. Desai, SreyRam Kuy, Timothy D. Henry, Amit N. Patel, 2020, "Cardiovascular Disease, Drug Therapy, and Mortality in COVID-19," N. Engl. J. Med., 382, e102.
２０２０／06／04、撤回。

〈注5〉 Amit N. Patel, Sapan S. Desai, David W. Grainger, Mandeep R. Mehra, 2020, "Usefulness of Ivermectin in COVID-19 Illness," SSRN, https://papers.ssrn.com/sol3/papers.cfm?abstract_id=3580524
２０２０／05、撤回。

〈注6〉 Matthew Herper, Kate Sheridan, 2020, "Researcher involved in retracted Lancet study has faculty appointment terminated, as details in scandal emerge," STAT

〈注7〉James Watson on the behalf of 201 signatories, 2020, "Concerns regarding the statistical analysis and data," https://zenodo.org/record/3871094#.YEeZdK0uD0N

〈注8〉James A. Watson, Rasimcan Meral, Richard Price, Julie Simpson, on behalf of 174 signatories, 2020, "Expression of concern regarding data integrity and results," https://zenodo.org/record/3873178#.YEeZb60uD0O

〈注9〉Catherine Offord, 2020, "Surgisphere Sows Confusion About Another Unproven COCVID-19 Drug," TheScientist

〈注10〉Elizabeth Bik, 2020, "The Surgisphere Founder and the Melba Toast figure," https://scienceintegritydigest.com/2020/06/06/the-surgisphere-founder-and-the-melba-toast-figure/

第2章

常温核融合

大学間の対抗意識から始まった誤りの連鎖

１９８９年、水を入れた試験管に電流を通すという、おもちゃのような実験装置で、水素の核融合に成功したというニュースが世界を驚かせました。水からエネルギーを生み出す夢の核融合です。エネルギー問題も資源問題も環境問題も全部解決です。しかもニュースが本当なら、巨大で高価な核融合炉は必要ないのです。嘘《うそ》かまことか、研究者は興奮して議論しました。しかし熱が冷めてみると、やはり常温核融合（cold fusion）は幻だったようです。

ユタの核開発競争

１９８０年代、金属内に吸蔵《きゅうぞう》された重水素で核融合を起こすというアイディアを、アメリカの二つの研究グループが独立に思いつきます。ブリガム・ヤング大のスティーブン・アール・ジョーンズ（１９４９〜）教授のグループと、ユタ大のボビー・スタンリー・ポンズ（１９４３〜）教授のグループです。

このアイディアはそれまで何回か再発見されたことがあるので、二つの大学のグループが並行して考えつくのはありうることですが、この場合は神のいたずらか、モルモン教徒をユタに導いたブリガム・ヤングの深慮遠謀の結果か、この2大学はユタ州にあって隣どうしといっていいほど近く、何かと張り合う関係でした。この大学間の対抗意識が騒動をよけいにこじらせることになります。

1986年、ジョーンズ教授は「重水《じゅうすい》」にパラジウムやチタンの電極を差し込んで、理科の電気分解実験によく似た実験を行ないました〈注1〉。

水という物質は水素と酸素の化合物ですが、普通の水素ではなく「重水素」を原料とする水を「重水」といいます。重水は普通の水より密度が高く、だから「重い水」です。物質に「核融合」を起こすには途方もない高温・高密度が必要ですが、重水素は他の物質よりもちょっぴり低い温度・低い密度で核融合反応を生じるので、核融合発電の燃料候補と考えられています。重水素を使っても核融合は技術的に難しく、研究者はあの手この手を考えて実験を行なっていますが、核融合でエネルギーを得る夢はいまだに実現していません。成功例は水爆だけです。

ジョーンズ教授もあの手この手を考える核融合の研究者でしたが、今回の手は水素吸蔵金属を使うという手でした。パラジウムやチタンを水の電気分解の電極として使うと、金属内に水素が取り込まれます。昔から知られている「水素吸蔵」という現象です。普通の水の代わりに重水を用いると、重水素が金属内部に吸蔵されて高圧となり、ある割合で核融合を起こすのではないか、というのがジョーンズ教授グループの思いつきでした。のちに「常温核融合」と呼ばれることになる方法です。(結局この方式では核融合は生じないので、核融合という名称は不正確なのですが、本書ではこのよく知られた言葉を用いることにします。)

ジョーンズ教授は容器内の重水に電流を流し、核融合が起きるかどうか見守りました。しかし、核融合の証拠となる放射線は検出できませんでした。その後ジョーンズ教授は共同研究者に常温核融合研究をまかせ、2年間ほどが経過します。

発端は研究助成申請書

1988年8月31日、ユタ大のポンズ教授は、師であり電気化学の長老格である英国サウサンプトン大のマーティン・フライシュマン(1927〜2012)教授と共同で、研究助成申請書「電気化学的に加圧した水素と重水素の挙動」をエネルギー省先端エネルギー研究局に提出します。表題には核融合という単語はありませんが、これも電気分解方式で常温核融合を起こそうという研究です。

エネルギー研究局は1988年9月20日にその申請書を専門家の審査員に回し、その中にジョーンズ教授が含まれていました。ジョーンズ教授はその研究が自分のやりかけた研究とほとんど同じだと気づきました。ジョーンズ教授はこの申請書を審査しながら、思い出したように常温核融合研究を再開し、実験の手はずを整えます。

のちにジョーンズ教授は、自分の研究は１９８６年から継続していて、ポンズ教授の申請書を読んで始めたわけではないと弁明しています。しかしガリー・Ａ・トーブス（１９５６〜）氏の『常温核融合スキャンダル〈注１に同じ〉』は関係者へのインタビューに基づいてこのあたりの事情を丹念に調べていて、それによると、やはりジョーンズ教授が申請書を読んでバタバタと実験を再開した感は否めません。

一方、ユタ大のポンズ教授も申請書がまだ審査中の段階で実験を開始します。実際に作業の中心となったのは１９８８年10月にポンズ研に加わった大学院生マーヴィン・ホーキンズでした。

１９８８年の年末にかけて、二つのグループは並行して常温核融合実験を進めます。ジョーンズ教授グループは「中性子」を検出して核融合反応を確認しようとし、ポンズ教授グループは（無謀にも）核融合反応で発生する熱を測定しようとしました。

核融合反応の有無を熱で確かめようというのは乱暴です。核反応が（ジョーンズ教授の予想するように）ごくわずかしか生じないなら、微弱な熱の測定は困難です。そしてもし熱がはっきりわかるほど核反応が進行したら、危険なレベルの放射線が発生します。しかしポンズ教授グループには放射線のエキスパートが見当たらず、真剣に配慮した形跡はありません。

のちにポンズ教授とフライシュマン教授は、常温核融合実験中に大きな熱が発生したとメディアに語っています。夜、誰も見ていないときに電極が溶け、机や床に穴が開いたというのです。この「メルトダウン」は核融合反応が生じた証拠であり、大きなエネルギーが取り出せる確信につながったとのことです。

夜、誰も見ていないときに実験装置が壊れて机や床に穴が開くようなことがあれば、それは危険な実験が杜撰《ずさん》な管理のもとに行なわれていたということです。しかもポンズ教授の仮説が正しければ、それを引き起こしたのは核反応です。事故後の報告、処理と対策は正しく行なわれたのか気になります。

しかしこの件に関してポンズ教授とフライシュマン教授の話は曖昧《あいまい》で、「メルトダウン事故」がいつどこで起きたのかはっきりしません。『常温核融合の真実〈注2〉』によると、ホーキンズ氏が実験に参加した1988年10月頃と推測されていますが、『常温核融合スキャンダル』ではそれ以前の出来事とされています。『常温核融合〈注3〉』によると、ポンズ教授の自宅の出来事だそうです。

この「メルトダウン事件」に限らず、ポンズ教授は信じがたい話を本当の出来事であるかのように語ることがしばしばあり、それは教授の研究姿勢にもあてはまります。ポンズ教授は大変生産性の高い化学者で、1986年だけで36本の論文を発表しています。実に10日に1本という多作ぶりです。ところがその中には、「間違った論文」、「真っ赤な嘘」、「ごり押し解釈」が含まれているとトーブス氏が指摘しています〈注1に同じ〉。（この「古典物理を書き換える必要がある」実験結果の連発は、第3章の天才ナノテク研究者シェーン博士を連想させます。）

一方、ブリガム・ヤング大では新しい中性子検出器が稼働し、そしてジョーンズ教授たちは核融合反応の証拠である中性子を検出したといえなくもない信号を得ます。電気分解方式の常温核融合は見込みがありそうです。ジョーンズ教授はこの新成果に本腰を入れます。研究助成申請書を書き始め、アメリカ物理学会での発表準備をし、そして先端エネルギー研究局を介してポンズ教授たちに情報交換と協力を持ちかけます。

ポンズ教授たちは、ブリガム・ヤング大で自分たちの研究とそっくりの実験が進んでいると聞かされ、しかも自分たちの研究助成申請書をこのジョーンズ教授が審査員権限で見たと知って、不信と危機感を抱きます。

急ごしらえの世紀の発表

1989年2月23日と3月6日、ポンズ教授とフライシュマン教授はジョーンズ教授を訪問し、会合を持ちます。2回目はユタ大とブリガム・ヤング大の学長らも参加しました。この研究がうまくいけば莫大《ばくだい》な経済効果と利益が生まれると見込んだユタ大が乗り込んできたのです。しかし、この核融合現象が本物だとしても工業化や商品化は難しいと考えるジョーンズ教授側とは温度差がありました。ジョーンズ教授は「この核融合がペンライトをつけるエネルギーも生み出すことはありえません」という見方でした。ジョーンズ教授が見せたデータによれば、中性子放射はあるとしても微弱でした。

両グループは共同研究には合意しませんでしたが、同時に2論文を発表することになりました。『ネイチャー』誌あての論文を用意して、3月24日に国際宅配便フェデックスのソルトレイクシティ空港営業所で落ち合う約束をします〈注3に同じ〉。

しかしポンズ教授たちはこの会合を通して二つの確信を抱きます。一つは、自分たちのやり方で核融合は本当に起きるということ、もう一つは、ジョーンズ教授が自分たちの研究成果を横取りしようとしているということです。

約束をかわした直後から、ポンズ教授たちはジョーンズ教授グループを出し抜く算段を始めます。論文を同時に発表しようにも、ユタ大でははかばかしい結果が出ていません。ポンズ教授の論文が掲載を断られ、ジョーンズ教授の論文だけが『ネイチャー』に掲載されるようなことになったら、ジョーンズ教授が常温核融合の発見者になってしまいます。

最後の会合から1週間後の1989年3月13日、ポンズ教授とフライシュマン教授は急ごしらえの論文を『ジャーナル・オブ・エレクトロアナリティカル・ケミストリー』に投稿し、通常の手続きを飛ばして即座に掲載するように編集長に頼みます。これが大変な物議をかもすことになる論文『電気化学的に誘起された重水素の核融合〈注4〉』です。

同日、ユタ大は常温核融合の最初の特許を出願します。ジョーンズ教授が論文を『ネイチャー』に投稿する予定日の前日、3月23日にユタ大の記者会見が設定されます。ジョーンズ教授側が約束を守るかどうか、ポンズ教授が電話をかけて確かめました。（どうも正直なやり口とはいえません。）

1989年3月23日、ポンズ教授とフライシュマン教授の、科学史に残る記者会見が開かれました。

両教授とユタ大首脳部は、「簡単な実験装置で、常温核融合を持続させることに初めて成功」と発表しました〈注5〉。

「この成功により、世界は将来、実質的に無尽蔵のエネルギー源である核融合を利用できるようになるかもしれません」

この発表は世界中に大きく報じられました。コメントを求められた研究者の多くが懐疑的だったため、一部のメディアは慎重な扱いでしたが、『ウォール・ストリート・ジャーナル』や地元紙『ソルトレイク・トリビューン』などには熱のこもった紹介記事が載《の》りました。以後、世の大勢《たいせい》が常温核融合否定に傾いても、これらの紙面には支持派を元気づける応援記事が載り続けます。

翌日1989年3月24日、ジョーンズ教授は自分たちの論文『凝縮物質内の常温核融合の発見〈注6〉』を投稿します。ただしフェデックスのソルトレイクシティ空港営業所で落ち合う約束はすっぽかしました。

営業所では、封筒を手にした気の毒なホーキンズ氏が待ちぼうけをくらう様子が、テレビ局クルーに目撃されました。おそらくポンズ教授が約束を守るポーズをとるため、ホーキンズ氏を待ち合わせ場所に向かわせたのでしょう。（そしてテレビ局は、ユタ大とブリガム・ヤング大の研究者がお祝いを述べあう場面を期待して取材に来たのでしょう。）封筒の中には『ジャーナル・オブ・エレクトロアナリティカル・ケミストリー』に投稿した論文の短縮版が入っていましたが、『ネイチャー』には掲載を断られ、その草稿が日の目を見ることはありませんでした。

いまだ実現しない人類の夢

常温核融合の衝撃を理解するため、まず「普通の」核融合のために注がれてきた努力について説明しましょう。

2個の原子核が衝突して融合し、1個の原子核になることが核融合です。水素をはじめとする多くの元素の原子核は、核融合させるとエネルギーを放出します。私たちの太陽の内部では、水素の原子核が次々に融合して、最後にヘリウムの原子核になる複雑な核融合反応が進行し、太陽を熱く明るく輝かせています。そこで誰でも思いつくのが、太陽の真似をして核融合をエネルギー源として利用することです。

核融合の燃料としては、比較的容易に核融合する重水素が候補になります。ここでは重水素と重水素どうしを核融合させる場合について説明します。

通常の水素、別名「水素1」の原子核は陽子1個からなりますが、重水素の原子核は陽子1個と中性子1個でできています。そういう重水素は水素1に対してほんのわずかな割り合いで混じって地球に存在しています。重水素の存在比はおよそ水素1の0・01パーセントです。そう聞くと希少な印象を受けますが、地球には海という巨大な貯水プールがあり、水という物質は水素原子を含んでいます。重水素が海水の水素に0・01パーセントも含まれていれば、これは人類が当分使いきる心配のないエネルギー資源といえるでしょう。重水素が利用可能になれば、産油国やウラン産出国にエネルギー資源を依存しなくてよくなるでしょう。(産油国やウラン産出国にはこれはいい話に聞こえないかもしれませんが。)

さて重水素を核融合させる方法ですが、単純なやり方は、重水素をぎゅうぎゅうに圧縮し、数千万〜数億度の高温に加熱するというものです。すると重水素の原子核どうしが激しく衝突し、その中にはある確率で核融合し、「トリチウム」になったり、あるいは「ヘリウム3」になったりするものが出てきます。

トリチウム、別名「三重水素」、またの名を「水素3」は、陽子1個と中性子2個からなる原子核を持ちます。これは不安定な原子核で、半減期12年で崩壊してヘリウム3に変わります。つまり放射性の原子核です。

重水素の核融合の結果として、あるいはトリチウムの崩壊の結果として生じるヘリウム3は、陽子2個と中性子1個からなる原子核を持ちます。この原子核は安定です。

核融合によってトリチウムができるにしろ、ヘリウム3ができるにしろ、この過程は大きなエネルギーを放出します。海水中の水素には0・01パーセントの重水素が含まれると説明しましたが、仮に1グラムの水の中の重水素がすべて核融合を起こしたとすると、数十万カロリーの熱量が発生します。1グラムの水はすべて蒸発して分子が壊れ、原子がイオン化し、プラズマと化します。核融合発電が実現すれば、水から莫大なエネルギーが取り出せるのです。

このような夢を抱いて人類は核融合発電の実現に長年取り組んでいるのですが、いまだに実現していません。

最大の問題は、核融合が点火するような高温・高密度に耐える容器が存在しないことです。どんな材質の容器でも融けてしまいます。

この問題を解決するため、容器の代わりに磁場で燃料を閉じ込める磁場閉じ込め方式、燃料を瞬時に熱する慣性閉じ込め方式、高温・高密度を使わずに重水素をくっつけるミューオン触媒方式など、様々なアプローチが提案されています。ジョーンズ教授らとポンズ教授らが思いついた水素吸蔵金属方式は、それでうまくいくかどうかはともかく、この問題を解決する一つの方法でした。

重水に電流を通すと、重水が電気分解され、酸素ガスと重水素ガスがぶくぶくと発生します。純粋な重水は電流を通しにくいので、金属塩などを溶かした水溶液を用います。（ジョーンズ教授は硫酸鉄などを溶かした水溶液を使ったようですが、これだと重水素だけでなく鉄が還元されてしまいます。ポンズ教授グループは重水と化合させた水酸化リチウムを用いていて、さすが化学者です。）

電気分解の陰極にパラジウムやチタンなどの水素吸蔵金属を用いると、発生した重水素は泡にならずに、金属の内部に吸収されます。水素吸蔵金属は多量の重水素を吸蔵することができ、例えばパラジウムなら体積の約１０００倍の水素を吸蔵できます。

金属内部に詰め込まれた重水素は押し合いへし合いして、その中には核融合するものが出てくるだろうというのが、常温核融合と呼ばれる水素吸蔵方式の核融合です。

ジョーンズ教授グループの論文は、常温核融合反応の証拠として、ガンマ線を検出したというものでした〈注6に同じ〉。重水素が核融合してヘリウム3に変わるときには中性子が放出されるはずですが、この中性子が物質と反応して生じるガンマ線を検出するという原理です。ガンマ線の強度から、核融合反応は最大で1秒に0・4回程度だったと見積もられました。1秒間に1回も起きないわけで、これはきわめて慎ましい反応率です。

一方ポンズ教授グループの論文は大変華々しいものでした。特製の試験管に重水を入れ、パラジウム電極を差し込み、1・5ボルトの電圧を電極に加えたところ、最大で26・8ワットの熱が発生したというのです。26・8ワットでは電子レンジもエアコンも動かせないと思われるかもしれませんが、これは核融合反応の熱としては驚くべき熱量です。他の核融合研究では、磁場閉じ込め方式でも慣性閉じ込め方式でも、これほどの熱量が連続して得られたことはありません。さらに1センチメートル角の立方体パラジウムを用いた実験では、発熱が大きすぎてパラジウムが融け、装置の一部が壊れてしまったというのだからたいしたものです。

ポンズ教授らはジョーンズ教授に倣《なら》ってガンマ線も測定しました。その図はジョーンズ教授の貧弱な図に比べて実に明瞭《めいりょう》できれいです。検出されたガンマ線のエネルギーは……2・5メガ電子ボルトと書いてあったり2・2メガ電子ボルトと書いてあったり、どういうわけか首尾一貫していません。なんだか論文を書いている最中にエネルギーが変わったかのような混乱が見られます。

これが何を意味するか、のちにマサチューセッツ工科大学（MIT）のリチャード・D・ペトラッソ研究員が皮肉っぽく指摘します。図1に示します。

世界的に巻き起こったフィーバー

1989年3月23日のポンズ教授とフライシュマン教授の記者会見は、アメリカと世界に常温核融合フィーバーを巻き起こします。メディアも研究者も政治家も市民も熱に浮かされます。

ポンズ教授とフライシュマン教授は連日講演やテレビ出演やインタビューをこなしま

す。4月12日のアメリカ化学会年会の壇上で、試験管を手にしたポンズ教授が「これがU─1、ユタ・トカマクです」と軽口を叩《たた》くと、会場の化学者は熱狂しました〈注2に同じ〉。

一方のジョーンズ教授の論文は1989年4月27日付けで『ネイチャー』に掲載されますが、掲載前から、世界の研究者にコピーが出回ります。ジョーンズ論文は有るか無しかというレベルの中性子生成を報告するものでしたが、「核融合発見第二号」という論調でメディアが報じます。

追試を行なった研究機関から、なんとウチでも常温核融合に成功したという発表が相次ぎます。

1989年4月9日、テキサス農工大チャールズ・マーティン教授は常温核融合で熱発生を確認したと思い込み（のちに撤回）、同日ジョージア・テック研究所ジェームズ・マハフィー研究員は中性子発生を報告し（5日後に訂正）、4月18日にはスタンフォード大ロバート・ハギンズ教授が重水と普通の水で熱発生に差があることを発見し（が、のちに誤りと判明）、5月8日にはテキサス農工大ジョン・ボックリス教授がトリチウム発生を発表しました（のちに捏造《ねつぞう》の可能性を指摘されます）。

こうした誤報はどうして生じたのでしょうか。

多数の研究グループが追試を行なうと、放射線検出数の偶然による揺らぎや装置の操作ミスや雑音の混入などの様々な原因により、誤った実験結果を得るグループが出ます。科学実験とは、そういう揺らぎやミスや不具合を丹念に探して除いていく作業です。

新現象を否定する（当たり前だがつまらない）結果を得た研究者は、急いで発表したいという気があまり起きませんが、実験成功という驚きの結果を（誤って）得ると、先を越される前に発表したくなります。そうした成功のニュースは不成功に比べて大きく報じられ、話題になります。他の研究者が成功したという知らせを聞くと、ちょっと怪しいが成功と見えなくもない結果を手にした研究者は、手順の誤りを確認するのもおろそかにして、成功と結論しがちです。

こうして常温核融合成功の報告は日々メディアをにぎわし、火のないところに煙が発見され、実体のない熱が世間をますます熱くしたのでしょう。

科学常識に反する常温核融合が起きちゃったと実験屋が報告すると、理論屋もそれを説明する新理論を捻《ひね》り出します。

1989年4月14日、MITのピーター・L・ヘーゲルスタイン准教授は、中性子を出さずに熱だけ出す「コヒーレント核融合」という新理論を発表しました。講演をし、4篇《へん》もの論文を『フィジカル・レビュー・レターズ』に投稿しました（が掲載されませんでした）。

同日、ユタ大のシェヴズ・ウォーリング教授とジャック・サイモンズ教授は『二人の無垢《むく》な化学者が常温核融合を眺めて〈注7〉』という詩的なタイトルの論文を『ジャーナル・オブ・フィジカル・ケミストリー』に投稿しました。パラジウムの中では重水素が核融合してヘリウム4が生じると考えると、中性子が検出されないという事実を説明することができるというものです。しかしこの理論が予想するヘリウム4は実際には生じないので、この理論は破綻《はたん》します。（ポンズ教授は二人の無垢な化学者による援護を知ると、実はヘリウム4が出たといい始めます。）

それにしても、物理学に反する新現象が見つかったと発表されると、ほんの数週間で、その新現象を説明する物理学理論（のようなもの）が出てくるのには感心させられます。膏薬《こうやく》と物理学理論はどこにでもくっつくということでしょうか。

研究者が騒いでいるので、政治家も常温核融合に関心を持ちます。1989年4月7日、ユタ州議会は圧倒的賛成で「核融合・エネルギー工学法」を通過させ、国立常温核融合研究所の設立と500万ドルの研究予算を決定しました。

ホワイトハウスもこの問題には興味を持ち、1989年4月13日には核化学者グレン・シオドア・シーボーグ（1912〜1999）博士が呼ばれてジョージ・ハーバート・ウォーカー・ブッシュ（1924〜2018）大統領に（否定的な）意見を述べました〈注8〉。シーボーグ博士らの勧告によって、エネルギー省に『エネルギー研究諮問会議常温核融合調査委員会』が設けられます。共同委員長の1人ジョン・ロバート・ホイジンガ（1921〜2014）博士はこの経験に基づいて『常温核融合の真実』をのちに書いています。

1989年4月26日にはアメリカ下院で核融合エネルギー研究についての公聴会が開かれ、ポンズ教授とフライシュマン教授、ユタ大学長らも証人として呼ばれました。ユタ大学長は2500万ドルの研究費を要求し、別の証人は研究予算がないと日本に成果を盗《と》られてしまうとあおりました。

一方ジョーンズ教授を含む別の証人からは、常温核融合は実用化できるかまだわからないという慎重な意見も出て、結局連邦予算を常温核融合に投じることは見送られます。

しかし熱病はいつまでも続くものではありません。熱も放射線も生じないという実験報告が増え、最初は成功と発表した研究者が誤りを見つけたとして撤回し、ポンズ教授の論文に矛盾や飛躍が指摘され、常温核融合は起きないという認識が徐々に広まっていきました。学会や研究会でも否定派が主流になりました。否定的な新聞・雑誌記事が掲載されました。学会での熱狂的な歓迎や好意的な雰囲気は冷め、ポンズ教授とフライシュマン教授は面と向かって批判されたり矛盾を追及されるようになります。

そしてＭＩＴのリチャード・Ｄ・ペトラッソ研究員はポンズ教授の論文に対する疑問点を１９８９年5月2日のアメリカ物理学会と5月18日付けの『ネイチャー』に発表します〈注9〉。ポンズ教授が検出したというガンマ線は本物ではないという指摘です。

ポンズ教授の奇妙なガンマ線

世界を熱くしたポンズ教授とフライシュマン教授の論文『電気化学的に誘起された重水素の核融合』は、１９８９年3月13日に投稿された後、一度訂正されています。訂正箇所は誤植など15ヶ所もあります。

意外なことに著者が変更されていて、最初の版を投稿したときにはマーティン・フライシュマンとスタンリー・ポンズ2人の連名だったのですが、あとからマーヴィン・ホーキンズが加えられています。著者の変更は珍事です。いったいどうしたのでしょうか。関係者に取材したトーブス氏によれば、ポンズ教授と、大学院生のホーキンズ氏の間には仲たがいがあったということです。実質的に実験作業を行なったホーキンズ氏は、記者会見の直前、論文に自分の名前が載らないと知らされます。記者会見のあと、ホーキンズ氏は実験ノートのコピーを研究室に残して原本を持ち出すという行動に出ます。ホーキンズ氏は保全するためだったといいますが、ポンズ教授はホーキンズ氏が実験ノートをモルモン教会に100万ドルで売りつけようとしたと主張しています。(ユタ州を舞台とするこのストーリーは、ホーキンズ氏とジョーンズ教授を含む少なからぬ登場人物がモルモン教徒です。)ホーキンズ氏は実験ノートを返しますが、ポンズ教授はホーキンズ氏を実験から閉め出し、さらに4月4日には「クビ」を宣告します。

困ったホーキンズ氏はあちこちに訴えます。ユタ大広報部と、「無垢な化学者」の1人ウォーリング教授を訪ね、フライシュマン教授に電話をかけました。周囲の働きかけで、ポンズ教授はクビを撤回し、さらに論文にホーキンズ氏の名前を載せることに同意します。(ずいぶんな譲歩です。よほど説得されたのでしょうか。)

「M・フライシュマンとS・ポンズは共著者マーヴィン・ホーキンズの名前を不注意により書き落としたことをお詫《わ》びします」という珍しい訂正の背後には、このような事情があったようです。

さてこの一件でホーキンズ氏の内心にどんなしこりが残ったか、それが氏をペトラッソ研究員に協力させる一因となったかどうか、本人以外にはわかりませんが、ペトラッソ研究員はホーキンズ氏や他のポンズ研メンバーから電話で情報を得ながら、いまやポンズ教授・フライシュマン教授・ホーキンズ氏3人の共著となった論文中のガンマ線の正体を解明します。

常温核融合の証拠としてガンマ線が検出されたというのがポンズ教授論文の重要な主張です。このガンマ線は図1に示すように、スペクトラム上で2・2メガ電子ボルト（2200keV）の位置に山を描いています。

この山は細すぎ、左側にこぶがなく、そのうえ高さが低すぎるというのが、（常温でない）核融合を専門とするペトラッソ研究員の指摘です〈注9に同じ〉。

スペクトラム上のこういう山は必ず幅を持って見え、その幅は検出器のエネルギー分

図1 核融合の証拠となるガンマ線のスペクトラム

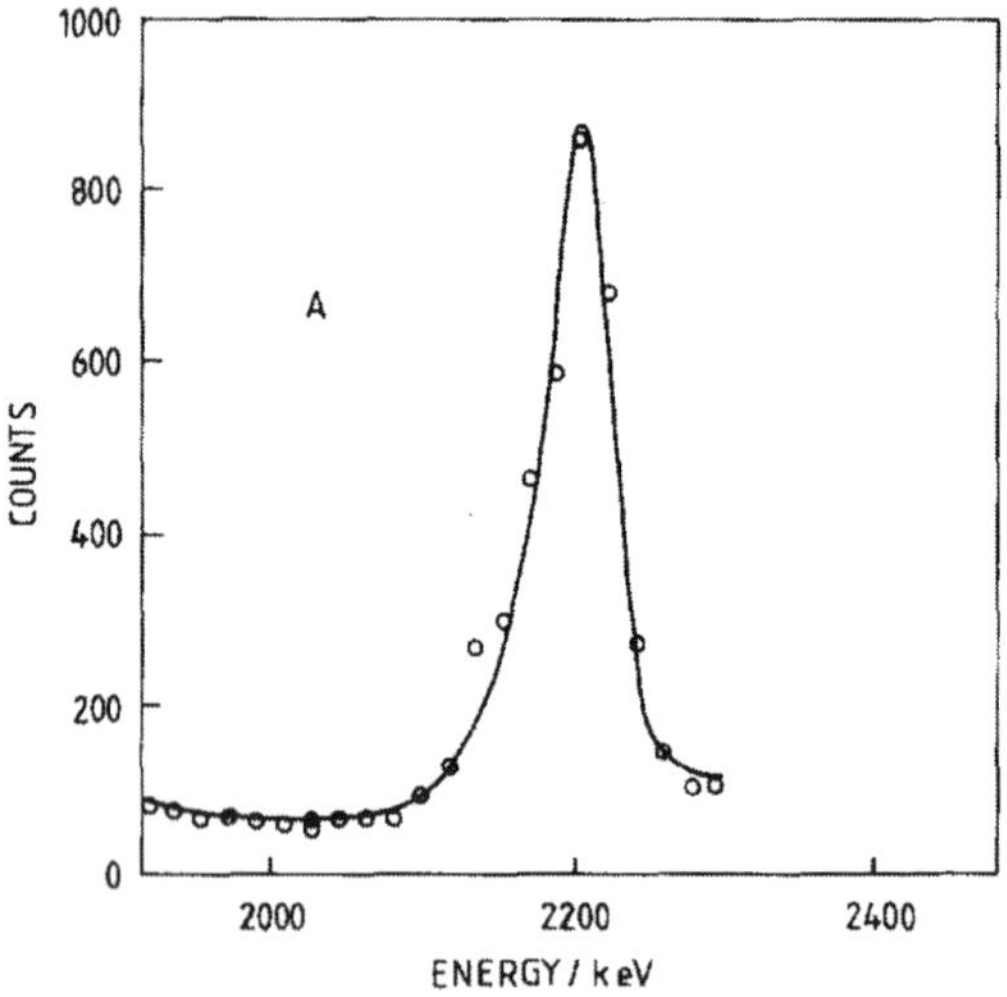

ポンズ教授らの論文〈注4〉の図IAの訂正版

2.2メガ電子ボルト（2200keV）を中心とする山を描いている。検出器の特性から予想される幅より細い。左側のすそはたいらで、こぶは見えない。また熱量から推定される強度の1/50しかない。

解能力がよいほど細くなるのですが、ポンズ教授の使ったガンマ線検出器は特性としてこの2倍の幅があるはずです。またガンマ線スペクトラムの2メガ電子ボルトの位置には「コンプトン端」というこぶが見えるはずですが、それがありません。おまけに論文の主張するような率の核融合反応が起きたなら、ガンマ線強度はこの50倍はなくてはいけない、というのがペトラッソ研究員の主張です。

「我々はこのスペクトラムに適切な説明を与えることはできないが、これはおそらくガンマ線とは無関係で、原因が検出器にある可能性がある」とペトラッソ研究員は結論しています。

これに対して、ポンズ教授らはまた違ったガンマ線スペクトラムを出してきて、検出された山の位置は実は2・5メガ電子ボルトで、その正体は不明だが核融合と関係のあるガンマ線だという奇妙な弁明をします〈注10〉。山の正体が何であれ、これでは核融合の証拠と見なせないでしょう。

ガンマ線という根拠が消え失せると、常温核融合の根拠は多量の熱の発生だけです。しかし様々な研究グループが測定してもポンズ教授の主張するような熱が発生しません。カリフォルニア工科大のグループは特に精密な測定を行ない、重水容器に入力したエネルギーと一致する熱しか発生しないことを証明しました〈注11〉。

こうしてポンズ教授らの常温核融合の根拠はことごとく否定されました。（あとのことですが、ジョーンズ教授の実験もやはり追試では中性子が検出されず、否定されました。）

さて常温核融合は、単なる不注意やミスに基づく錯覚だったのでしょうか、それとも意図的な捏造だったのでしょうか。

ペトラッソ研究員の指摘〈注9に同じ〉と、ポンズ教授らの反論に対する再指摘〈注12〉は、捏造という言葉は使っていませんが、そういいたいのは伝わってきます。

ポンズ教授のガンマ線スペクトラムは、訂正版も反論版も、はっきりいってでたらめです。（筆者には、波高の高いパルス信号が途中の増幅回路で飽和して、マルチ・チャネル波高分析器の特定のチャネル付近に集中して生じた山に見えます。）これがもしミスなら、放射線検出の初心者によるミスです。

しかしこれが捏造を意図する者の仕業なら、信憑《しんぴょう》性を高める何らかの工夫をするだろうという気もします。捏造と判定するにはあまりに杜撰です。

たったの1週間で仕上げられたポンズ教授の論文がどのように書かれたかは、今後実験ノートが公開されることでもない限りわかりません。今のところは、無垢な化学者によるミスか、悪意ある捏造かは判定するのは困難です。

そして信者が残った

さて研究者の協力で常温核融合の論文が否定されたわけですが、すると世間は研究者の判断に倣って、常温核融合を顧みる者はいなくなったでしょうか。

エネルギー研究諮問会議常温核融合調査委員会は1989年7月12日に中間報告書を出し、10月31日に最終報告書を出します。「常温核融合によるものとされる現象の調査に対して、いかなる特別な助成がなされることにも反対する」という全面否定です。

核融合・エネルギー工学法を可決してしまったユタ州はしばらく常温核融合プロジェクトに予算を割り振ります。

その資金で運営される国立常温核融合研究所は1990年3月30日に第1回常温核融合会議を開催します。集まったのは主にアメリカの常温核融合信奉者です。信奉者は興奮して楽観的な展望を語り合いました。ペトラッソ研究員などの否定派は冷ややかな扱いを受けたとホイジンガ博士が記しています。

しかし常温核融合信奉者の旗色は悪くなる一方です。テキサス農工大のボックリス教授はトリチウム発生を捏造した疑いが持たれ、調査委員会によって調査を受けます。(のちに、捏造の証拠なしと結論されます。)ユタ大内部でも常温核融合への風当たりは強まり、強力な支援者だった学長は1990年6月11日に辞任を表明します。

1990年10月16日、ポンズ一家が密《ひそ》かに国外へ脱出していたことが明らかになります。1991年1月1日付けでポンズ教授はユタ大を辞職します。

ポンズ教授の再就職先が明らかになると、驚きが走ります。日本企業トヨタ系列の「未来技術研究開発」の国際研究所「IMRAヨーロッパ」はポンズ教授とフライシュマン教授の研究に出資することを決め、2人を雇ったのです〈注2に同じ〉。

科学の主流がいくら常温核融合を否定しようとも、どうやら世界には信奉者が尽きることなく存在するようなのです。

国立常温核融合研究所が予算を打ち切られて1991年6月30日に閉鎖されても、国際常温核融合会議はしばらく開催されました。

その第3回は1992年10月21日に名古屋で開かれました。その会期中に今度はNT

Tが常温核融合研究を支援する記者発表を行ない、NTTの株価が11パーセント上がりました〈注2に同じ〉。この名古屋会議では、否定派の発表者からマイクを奪うなど露骨に差別的な対応がなされたといいます。ホイジンガ博士は「今、目にし、耳にしていることが、国際会議の場で現実に起こっているのだということが信じられなかった。ほぼ半世紀におよぶ筆者の科学者としての活動の中で、こんな経験をするのは初めてのことである」と記しています。

常温核融合は、科学の対象から信仰の対象となって生き続けるように思われます。

まとめと評価――いまだに信じる人もいる

- 発表から撤回まで……公式には撤回されず
- ストーリーの科学的インパクト……核融合級
- 捏造の巧妙さ……発覚まで40日
- 社会的影響……世界的
- 総合……☆☆

ポンズ教授らの論文は公式には撤回されていません。常温核融合現象が本物だというのが公式の主張です。

試験管の中で理科の実験のように核融合ができたら、これは科学を引っくり返し、社会にエネルギー革命が起き、環境破壊や資源問題があらかた解決するでしょう。大変に夢のある捏造です。

しかしポンズ教授らの論文は1週間ででっち上げられた、はなはだ粗雑な代物で、放射線計測部分には初歩的な誤りがあり、専門のはずの電気化学の部分にも飛躍があります。諸方面から矛盾が指摘されましたが、ここではペトラッソ研究員の学会発表を、データが偽物であるという指摘と見なします。1989年3月23日の記者発表からペトラッソ研究員の1989年5月2日の学会発表までの40日間を、論文の巧妙さを表す期間としておきます。

この発表により、ユタ州では500万ドルの研究費が計上されました。アメリカ国内では大反響を呼び、遠い日本のトヨタやNTTも騙《だま》されました。社会的影響は世界的です。

総合して、星2個としておきます。夢のある発表なのですが、論文が粗雑なので減点です。

教訓 どんな主張にもそれを支持する物理学理論と信者とスポンサーがつく。

〈注1〉ガリー・トーブス著、渡辺正訳、１９９３、『常温核融合スキャンダル』、朝日新聞社。

〈注2〉Ｊ・Ｒ・ホイジンガ著、青木薫訳、１９９５、『常温核融合の真実』、化学同人。

〈注3〉Ｆ・Ｄ・ピート著、青木薫訳、１９９０、『常温核融合』、吉岡書店。

〈注4〉M. Fleischmann, S. Pons, M. Hawkins, 1989, "Electrochemically induced nuclear fusion of deuterium," J. Electroanal. Chem., vol. 261, p301.
1989, "Errata," vol. 263, p187.

〈注5〉The University of Utah, 1989/03/23 "'Simple experiment' results in sustained n-fusion at room temperature for first time."

〈注6〉S. E. Jones, E. P. Palmer, J. B. Czirr, D. L. Decker, G. L. Jensen, J. M. Thorne, S. F. Taylor, J. Rafelski, 1989, "Observation of cold nuclear fusion in condensed matter," Nature, vol. 338, p737.

〈注7〉 Cheves Walling, Jack Simons, 1989, "Two innocent chemists look at cold fusion," J. Physical Chem., vol. 93, p4693.

〈注8〉 シーボーグ博士はプルトニウムをはじめとする多くの人工元素を合成・発見した功績でノーベル化学賞を受賞し、また106番元素シーボーギウムに名を残しています。後述のヴィクトル・ニノフ博士が活躍したバークレー研はシーボーグ博士の研究拠点でした。ニノフ博士の捏造が発覚したときには、シーボーグ博士がこの有り様を見ずにすんでよかったと自嘲混じりにささやかれたそうです。

〈注9〉 R. D. Petrasso, X. Chen, K. W. Wenzel, R. R. Parker, C. K. Li, C. Flore, 1989, "Problems with the γ-ray spectrum in the Fleischmann et al. experiments," Nature, vol. 339, p183.

〈注10〉 Martin Fleischmann, Stanley Pons, Marvin Hawkins, R. J. Hoffman, 1989, "Measurement of γ-rays from cold fusion," Nature, vol. 339, p667.

〈注11〉 N. S. Lewis, C. A. Barnes, M. J. Heben, A. Kumar, S. R. Lunt, G. E. McManis, G. M. Miskelly, R. M. Penner, M. J. Sailor, P. G. Santangelo, G. A. Shreve, B. J. Tufts, M. G. Youngquist, R. W. Kavanagh, S. E. Kellogg, R. B. Vogelaar, T. R. Wang, R. Kondrat, R. New, 1989, "Searches for low-temperature nuclear fusion of deuterium in palladium," Nature, vol. 340, p525.

〈注12〉 R. D. Petrasso, X. Chen, K. W. Wenzel, R. R. Parker, C. K. Li, C. Flore, 1989, "Reply," Nature, vol. 339, p667.

第3章

ナノテク・トランジスタ

史上最大の捏造・ベル研事件

「未来の技術」ナノテクノロジーの開発を目指して世界の研究グループが熾烈《しれつ》な競争を繰り広げる中、ベル研究所のシェーン博士は単分子トランジスタの製作に成功するなど革新的な成果を次々挙げました。しかし実はその華々しい実験結果はすべてでっち上げだったのです。

8日に1本の第一級論文を発表する若き天才研究者

2001年9月12日、ベル研究所の若手研究者ヤン・ヘンドリック・シェーン（1970〜）博士は、書いたばかりの論文を『サイエンス』誌に投稿しました。『サイエンス』誌のウェブ・ページを開き、論文の本文とグラフのファイルを送信すれば、あとは編集部からの返事を待つばかりです。

順調に行けば、論文は査読者《レフェリー》に回覧され、査読者はこれが由緒ある科学雑誌『サイエンス』に載《の》せる価値のある論文かどうか判定します。査読者はその分野の研究者の中から秘密裏に選ばれ、匿名で論文を吟味します。『サイエンス』の水準は高く、90パーセントの論文が最終的にはねられます。『サイエンス』と並ぶ有名誌『ネイチャー』も似たような割合です。

そのような科学雑誌界の難関『サイエンス』ですが、シェーン博士の新論文が受理されることはまず間違いないでしょう。この『単分子の電導度の電界効果〈注1〉』は、分子1個からなるトランジスタを製作したという、驚くべき報告です。またこれを成功させたシェーン博士はこれまでにも信じられないような革新的発明・発見を連発し、これを含めて『サイエンス』に9篇《へん》、『ネイチャー』に7篇、『フィジカル・レビューB』に7篇の論文を発表しているのです。

ヤン・ヘンドリック・シェーン博士は1970年、ドイツに生まれました。コンスタンツ大学という田舎の大学で物理学を専攻し、博士号を取りました〈注2〉。1997年、27歳のシェーン博士は、大学院生のときにインターンをしていた米国のベル研究所に就職します。初めはポストドクトラル・メンバー・オブ・テクニカル・スタッフ（MTS）、のちにはポスドクでないMTSです。（ここに登場するベル研の研究者はほとんどMTSまたはポストドクトラルMTSですが、ここでは博士と呼びます。）この新人研究者は、快活で気くばりをよくする人物で、敵を作らなかったということです。

ベル研は電話の発明者アレクサンダー・グラハム・ベル（1847〜1922）を創

立者とする世界有数の科学研究機関です。これまでトランジスタ、電波天文学、ＣＣＤ、Ｕｎｉｘオペレーティング・システムなどを生み出して技術革新の発祥地となり、ノーベル賞もがさがさ取りました。当時、ベル研をはじめ世界の先端研究機関は競ってナノテクノロジーに取り組んでいました。ナノテクは分子や原子1個1個を操《あやつ》り、新しい分子や素材を造り出し、分子サイズの機械や電子部品を製造する未来の技術です。

赴任して1年ほどたつと、シェーン博士は上司のバートラム・バトログ（1950〜）物質科学部門長や他の同僚と共著で、次々と成果を発表し始めました。多くの場合、共同研究者がナノテク新素材の候補を製作して提供し、シェーン博士が測定実験でその驚くべき性質を明らかにするという手法をとりました。シェーン博士に手渡された試料は超電導を示し、レーザーを放射し、トランジスタとして機能し、自ら集まって回路素子を構成し、およそ人々がナノテクに期待することを片端からやってのけました。

シェーン博士は同僚と研究所とナノテク業界の期待を一身に背負って働きました。計算機のディスプレイをにらみ、連日深夜まで仕事しました。少なくとも周囲にはそう見えました。

実をいうと、シェーン博士は実験をすべて単独で行ない、共同研究者は実験結果をあとで知らされるだけでした。

渡した試料が期待以上の成果を出したという報告に共同研究者は喜びました。シェーン博士の実験結果のグラフは、実際の実験につきもののジグザグや不良データ点のない、理論曲線にピッタリあてはまる、実にきれいなものでした。他の誰もシェーン博士ほど美しいグラフを描けませんでした。

その美しいグラフを使ってシェーン博士は大量の論文を書きました。この器用な実験家はすぐれた執筆者でもあったのです。シェーン博士は最盛期には8日に1本の率で第一級の科学論文を発表しました。

別の論文のグラフにそっくり？

例えば、シェーン博士は2001年7月9日に銅酸化物の超電導に関する論文〈注3〉を『サイエンス』に投稿し、その5日後に『オーガニック・エレクトロニクス』誌に有機物質の電荷輸送について投稿しています〈注4〉。さらに2001年7月26日にはまた『サイエンス』にフラーレンの高温超電導の自己記録更新について投稿し〈注5〉、これは先の銅酸化物に関する論文と同じ2001年9月28日号に掲載されます。そしてその4

日後に、今度は『ネイチャー』に別の超電導物質についての論文〈注6〉を投稿しているのです。

これは驚異的な速さです。科学論文を書くためには、実験がうまくいったとして、論理的な構成を考え、実験結果を示すグラフや表を作り、過去の研究を調べて比較しリストし、雑誌によって異なる体裁に合わせなければなりません。もちろん間違いがないかどうか何回もチェックし、共著者と議論しながらです。これは時間のかかる作業です。通常、数週間から数ヶ月かかります。何年もかかる例もあります。それを8日に1本生産し、同時に独創的な実験を次々成功させる……。どう見ても天才のしわざです。

ヤン・ヘンドリック・シェーン博士の名は世界に知れ渡り、称賛が降り注ぎました。学会や研究会に招待され、いくつもの賞を受賞しました。ノーベル賞も時間の問題でしょう。

けれどもシェーン博士の報告の追試はなかなかうまくいきませんでした。ほかの研究者がシェーン博士と同様の試料を同様の装置で測定しても、同様の結果が再現できません。シェーン博士の実験の手腕が常人には真似《まね》できないほど優れているためでしょうか。

いったいどうやったのかという研究者からの問に、シェーン博士はていねいに答えました。使用した電圧、温度、電極と試料の間隔、そうした実験の条件を細かく教え、きっとうまくいくと励ましました。

しかしそれでも追試は失敗し続け、研究時間と研究予算が無為に費やされました。シェーン博士を追う研究者は挫折《ざせつ》と敗北感を味わいました。

2001年9月12日に『サイエンス』に投稿した論文『単分子の電導度の電界効果』は、ひと月ほどの短期間で受理され、2001年12月7日付けで掲載されました（11月にはウェブ上に電子版が掲載）。予想どおりの運びです。シェーン博士の美しいグラフがまたしてもナノテクの一分野に突破口を開きました。

ところが2002年4月、その美しいグラフに妙なところがあることにベル研の研究者が気づきます。『ネイチャー』に掲載されたシェーン博士の別の論文『自己組織化単分子膜有機電界効果トランジスタ〈注7〉』のグラフとそっくりなのです（図2）。測定値の微妙なギザギザまで一致します。これはいったい何を意味するのでしょうか。（読者のみなさんにはもうおわかりでしょう。）

絢爛豪華《けんらんごうか》な実績の数々

ナノテクノロジーとはどんな研究分野でしょうか。シェーン博士の実験はどれほど革新的で衝撃的だったのでしょうか。

1ナノメートルは10^{-9}メートル、つまり1ミリメートルの100万分の1の長さです。通常の光学顕微鏡で観察できる微生物や細胞はせいぜい数マイクロメートル、つまり10^{-6}メートル程度のサイズなので、ナノメートルはそのさらに1000分の1です。分子や結晶のサイズといえます。

そういうナノメートル・サイズの物体を製作したり操作する技術、ナノテクノロジーの開発が進めば、極微小サイズのエレクトロニクス素子や、生物のような性質を備えた機械部品、知的な応答を示す素材など、まったく新しい性質を持った製品が生み出されるかもしれません。

1980年代、走査型トンネル顕微鏡や原子間力顕微鏡など新しい原理の顕微鏡が発明され、原子や分子を観察する技術が急速に発展しました。1985年には炭素からなる新素材フラーレンが発見され、1991年にはカーボン・ナノチューブが報告され、

図2 シェーン博士のグラフ

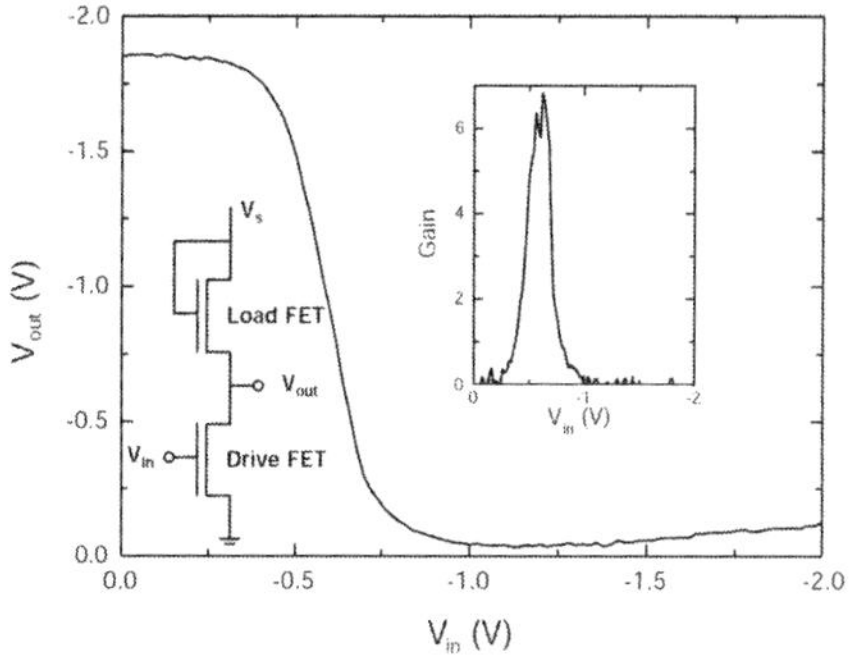

論文『単分子の電導度の電界効果〈注1〉』の図4

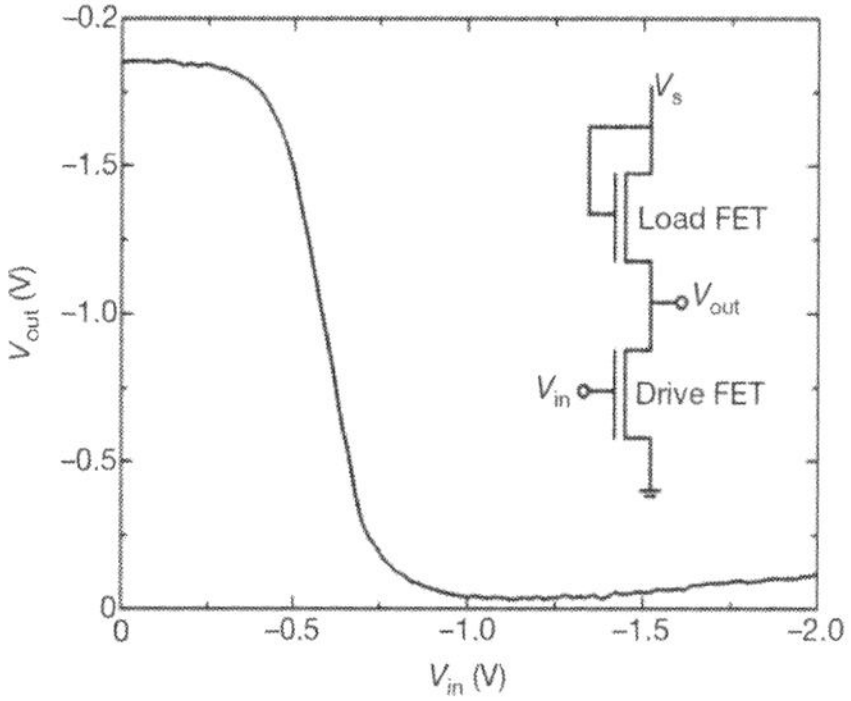

論文『自己組織化単分子膜有機電界効果トランジスタ〈注7〉』の図4

2篇の論文に載った別の試料の測定データが、曲線の微妙なでこぼこまで一致します。

人々は原子を操作し分子を製作する新しいテクノロジーを予想しました。世界の最先端の（ベル研のような）研究施設で大勢の研究者が競ってこのナノテクノロジーという分野の理論的・実験的研究に取り組みました。

2000年頃、シェーン博士が次々と論文を発表した背景には、未来技術ナノテクへの世界的な関心の高まりがあったのです。

ただし現在、ナノテクノロジーはまだ開発途上の分野といえます。夢のナノテク応用製品が生活を満たし社会を変革する状況にはまだ至っていません。

2000年頃、未来技術ナノテクの描く夢が具体的にどんなものだったかを理解するには、シェーン博士の発表を紹介するのが一番早いでしょう。博士の絢爛豪華《けんらんごうか》で圧倒的な業績は、人々にナノテクノロジーの開く未来を確信させたのです。

▼有機トランジスタに単分子トランジスタ

トランジスタは電子部品の一種で、その基本的な機能は増幅です。図3にトランジスタの原理を示します。

増幅機能はあらゆる電子回路の基礎です。トランジスタの増幅機能を応用すると、微

図3　トランジスタの原理

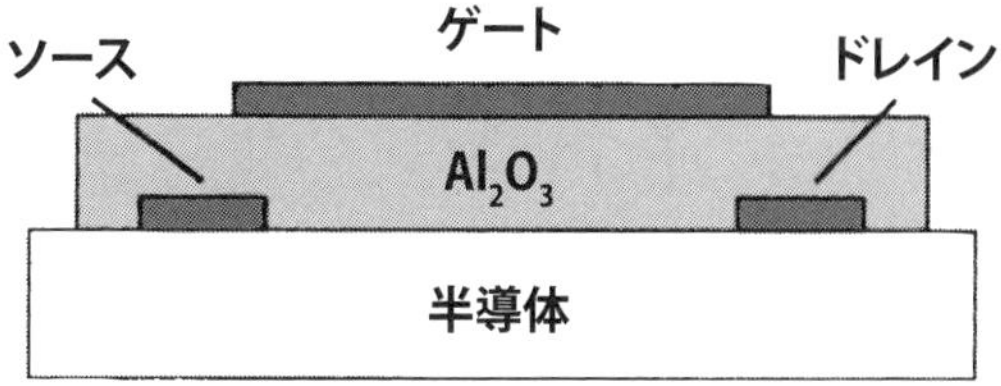

『ペリレン：有望な有機電界効果トランジスタ材料〈注9〉』の図1を改変

シェーン博士が得意とした「双極型電界効果トランジスタ（Field-Effect Transistor; FET）」は、半導体に「ソース」と「ドレイン」という電極を取り付けた形をしています。外部からソースとドレインの間に電圧をかけると、半導体は電流を流すので、この間には電流が流れます。さらに別の電極「ゲート」に外部から電圧を加えると、ソースとドレインの間に流れる電流が変化します。ゲートにかける電圧をわずかに変化させただけで、ソースとドレインに流れる電流が大きく変化するので、これは増幅を行なう素子として働きます。これがFETの基本動作です。

弱な電波を増幅する回路から、規則的に信号を発する時計や発振回路、コンピュータの論理回路や記憶回路等々、どうしてそうなるのか素人にはちょっと見当もつかない様々な電子回路が手品のように実現します。そういう電子回路を組み込んだ通信装置やコンピュータや電子装置は無数に社会に散らばり支えています。現代社会はトランジスタなしでは1秒も成り立ちません。

トランジスタに素材として使われているのはケイ素という元素ですが、自然界にはこれに性質が似ている「炭素」という元素が存在します。炭素は私たち動植物の体を作り、木材や天然繊維として古来使われ、近年は合成繊維やプラスチックや薬品等々に利用されています。

炭素を含む物質は「有機物」といいます。もし炭素を素材とする「有機トランジスタ」が可能になったら、繊維や建築材料として使える電子回路、プラスチック製の柔らかいコンピュータ、微生物や細胞サイズの電子装置など、まったく新しい性質を持った製品が実現するかもしれません。有機トランジスタはナノテクの夢の一つです。

シェーン博士は様々な有機材料を用いてトランジスタ構造を作り、次々と有機トランジスタの開発に成功しました。『サイエンス』に発表した『双極性ペンタセン電界効果トランジスタとインバータ〈注8〉』ではペンタセンという物質を用い、『アプライド・フィジクス・レターズ』の『ペリレン：有望な有機電界効果トランジスタ材料〈注9〉』ではペリレンを用いてトランジスタを製作してみせました。いずれも世界の誰も成功していなかったことで、その増幅効果を表す見事なグラフに人々は驚きました。

シェーン博士の手にかかるとどんな物質でもトランジスタに変身しました。しまいにはシェーン博士の論文には一度に9種類もの新トランジスタが登場するようになりました〈注10〉。

またシェーン博士は小さなトランジスタを作る技術にも凄腕《すごうで》を見せました。サイズはどんどん小さくなり、分子の厚みのトランジスタが製作され〈注7に同じ〉、ついにはたった1個の分子からなる単分子トランジスタまで作ってのけました〈注1に同じ〉。

数々の超電導新記録

通常の物質には電気抵抗があり、電流を流そうとするとこれが邪魔します。金属のように電流を良く通す物質でもやはり少々の電気抵抗があります。

ところがある種の物質は、摂氏マイナス270度程度の極低温まで冷却すると、電気抵抗がゼロの状態になります。「超電導」状態です。

超電導物質を電磁石のコイルに用いると超強力な磁場が作れます。医療用の磁気共鳴画像装置（ＭＲＩ）は超電導を応用したものです。また超電導物質を送電線に用いると、電流のロスがない送電が可能になります。他にも粒子加速器やリニア・モータ、ジョセフソン素子など、様々な応用可能性が広がります。このため新しい超電導物質、比較的高い温度で超電導になる物質の開発が競って行なわれています。

ここでシェーン博士は様々な有機物質や無機物質を超電導状態にして見せました。その手法は有機トランジスタの場合とほとんど同じです。試料に電極をつけてトランジスタ構造を製作し、極低温まで冷却し、電極に電圧をかけると……次から次へと試料が超電導状態を示すのです。

シェーン博士が最初に手がけたのは、サッカーボールの形をした奇妙な炭素分子「フラーレン」です。シェーン博士の論文『超電導電界スイッチ〈注11〉』によれば、フラーレンで作ったトランジスタは摂氏マイナス262度で超電導状態になり、そのうえゲート電極にかける電圧を変えることによって超電導状態をオン・オフできるというのです。これはいわば超電導トランジスタです。またのちには超電導状態になる臨界温度を摂氏マイナス156度にまで引き上げました〈注5に同じ〉。摂氏マイナス156度は日常感覚だと大変な低温ですが、超電導業界では驚愕《きょうがく》の超高温です。

シェーン博士はペンタセンをはじめとする有機物質〈注12〉や銅酸化物〈注3に同じ〉等々を用いて次々に超電導状態を実現し、ゲート電圧を操作することで超電導状態から金属状態へ、さらに絶縁状態へ、自在に変化させて見せました。

ただし「見せました」といっても、きれいなグラフを示しただけで、実験の様子や試料を実際に見せることはありませんでした。論文の共著者やベル研の上司ですら、シェーン博士の実験を見たことがありませんでした。

数々の超性能素子

ほとんどの有機物質試料はベル研の同僚クリスチャン・クロック博士とチェナン・バオ博士が作製しました〈注13〉。クロック博士は結晶成長の専門家、バオ博士は有機材料の専門家で、シェーン博士の要望に応じて各種物質の微小な結晶を容器内に成長させ、シェーン博士に渡しました。

シェーン博士は試料を故郷ドイツのコンスタンツ大に持ち帰りました。そこのスパッタリング装置で酸化アルミニウムという絶縁物を試料表面に塗り付けたといいます。スパッタリングとは、物質をいったん蒸発させ、試料表面に吹き付けて固化させる工程です。シェーン博士は塗り付けられた酸化アルミニウムの表面と試料の表面に金の電極を取り付けて、新しいトランジスタを作製しました。あるいは作製したと主張しました。

そしてでき上がった新トランジスタをベル研の測定装置につなげると、その測定値はあらゆる記録を破り、見たことのない新奇な物理現象を示し、ファンタスティックな能力を発揮しました。

一見何の変哲もないプラスチックのかけらがシェーン博士の手にかかると、それは太陽電池となり〈注14〉、光スイッチとなり〈注15〉、レーザー光線を発し〈注16〉、超電導状態になり、ジョセフソン素子となったのです〈注17〉。ジョセフソン素子は未来の高速コンピュータの基礎部品として期待されています。

シェーン博士はナノテクのあらゆる夢想を片端から実現していきました。シェーン博士の実験装置はまるで未来を生み出す装置です。シェーン博士は21世紀のエジソン、来たるべきナノテク社会の偉大な建設者です。

同僚が偶然、捏造《ねつぞう》を発見

シェーン博士がベル研のポスドクになるのは1998年9月、猛然と論文を投稿し出すのはそれから約1年後です。すでに述べたように、最盛期には8日に1篇という異常なペースで論文を生産し、これは上司から執筆ペースを落とすように注意される2001年11月まで続きます〈注18〉。

最終的に発表した論文数は、筆者が確認できたものだけで約80篇にのぼります。研究会の集録論文などは数えきれていません。論文リストには『サイエンス』掲載が9篇、『ネイチャー』が7篇、『フィジカル・レビューB』が7篇と、一流と見なされる学術誌が並びます。

当然のことながらシェーン博士の名声は鳴り響き、業界の尊敬と羨望《せんぼう》を浴び、メディアにも注目され、ベル研の上層部からは称賛されます。

けれどもシェーン博士の成果の追試に成功する例は一つも現れません。世界中の大学院生やポスドクがうまく行かない実験に無為な時間を費やしたと想像されます。中にはうまく行かないため研究テーマや進路を変更せざるをえなかったケースもあったのではないでしょうか。シェーン博士の素晴らしすぎる業績が評判になるとともに、それに不信感を抱く人も増えていきます。

しかし決定的な証拠は、疑惑を抱いて論文を精査した人ではなく、ベル研の同僚によって偶然に発見されることになります。この経緯についてはユージーン・サミュエル・ライク氏の取材による『プラスチック・ファンタスティック〈注18に同じ〉』が詳しいです。また『論文捏造〈注19〉』も参考になります。

2002年4月19日、ベル研のポスドクMTSリン・ルー博士は、たまたまシェーン博士の『サイエンス』論文『単分子の電導度の電界効果〈注1に同じ〉』と『ネイチャー』論文『自己組織化単分子膜有機電界効果トランジスタ〈注7に同じ〉』をパラパラ見ていて、まったく同一のグラフが載っているのに気づきます。図2に示すように、異なる物質を用いる異なる実験の無関係なグラフが、微妙なギザギザまで一致しています。

リン・ルー博士はこれをその場で同僚のジュリア・スー博士（MTS）に見せ、スー博士もグラフが似ていることに同意します。スー博士は二つのグラフが完全に同一だとまでは思いませんでしたが、シェーン博士の実験結果に何か間違いがあるのではと考え、これを（ジュリア・スー博士の夫の）マーク・リー博士（MTS）に見せました。

リン・ルー博士はその日のうちにこの奇妙な一致をボブ・ウィレット博士（MTS）に話し、ボブ・ウィレット博士はシェーン博士の上司のジョン・A・ロジャーズ部門長に報告しました。（シェーン博士のかつての上司で多くの論文の共著者バトログ部門長はこのときすでにベル研を退職してスイス連邦工科大学チューリッヒ校教授でした。）

シェーン博士が論文を書く際にグラフを取り違えたのだろうと（好意的に）考えたマーク・リー博士は、2002年4月22日、どちらが正しいグラフなのかシェーン博士に直接聞きました。自分のグラフを見せられたシェーン博士は、間違いがあったようだと認めました。その様子は、莫迦《ばか》げた誤りをしでかして困惑しているようだったということです。シェーン博士は雑誌には訂正を送るといいました。マーク・リー博士はあとでボブ・ウィレット博士に、雑誌には訂正を送るそうだと話しました。

ボブ・ウィレット博士は友人のリディア・ゾーン・プリンストン大教授に電話し、世間話として、シェーン博士の訂正がじきに載るから注意するといい、と留守番電話に吹き込みました。この留守番電話がきっかけで、シェーン博士の捏造が世界中に知れ渡ることになります。

この留守番電話のメッセージは、ベル研内部の通報者によるシェーン博士を告発する謎《なぞ》めいたメッセージだったかのように信じている人が多く、『論文捏造』などもそういう扱いをしています。が、ライク氏によればさほどドラマティックなものではなかったということです。ロジャーズ部門長にはすでに報告ずみだし、シェーン博士は訂正を送るといっているし、ウィレット博士は外部に告発する必要を感じておらず、そういうつもりはなかったとインタビューに答えています。

ともあれ留守番電話メッセージを聞いたゾーン教授は同一のグラフを自分で確認し、これは単なる間違いではなく捏造だと確信します。この捏造を示すパワーポイント・スライドを作り、同業者に送りました。また『ネイチャー』の編集部にも疑念を伝えます。

ゾーン教授のスライドを受け取った1人、ポール・マキューエン（1963〜）コーネル大教授〈注20〉は、その同一のグラフが『双極性ペンタセン電界効果トランジスタとインバータ〈注8に同じ〉』にも使われていることを自分でも発見します。同じグラフが3篇の論文に別の実験結果として使われているのです。「怒った〈注18に同じ〉」マキューエン教授は他の論文の疑わしい点を探し出し、ロジャーズ部門長、バトログ教授、『ネイチャー』と『サイエンス』の編集部、そしてシェーン博士本人に告発を届けます。20

02年5月10日のことです。

捏造者に共通する弁明

このあとの経過は、本書の他の捏造事件とよく似たパターンをたどります。

ベル研は2002年5月16日に外部のメンバーからなる「ヘンドリック・シェーンおよび共著者の研究業績に不正が含まれている可能性についての調査委員会」を組織します〈注13に同じ〉。それまでにもシェーン博士の論文におかしな点があるという告発は2回ほどありましたが、シェーン博士が説明することで「誤解」が解け、告発は取り消され、調査委員会を開くまでにはいたりませんでした。しかし今回は本人の説明だけではすまないことがベル研上層部にもわかっていました。

調査委員会はシェーン博士に、25篇の論文（うち1篇は未発表）に寄せられた24項目の疑問点について回答を求めました。

シェーン博士の回答は他の事件で聞かれたものとそっくりで、既視感を覚えるほどです。捏造者の弁明は、彼ら彼女らが口裏を合わせているのではないかと思えるほど似ています。

シェーン博士は実験ノートをつけていませんでした。主要なデータ・ファイルはすべて消去されていました。コンピュータが古くて記憶容量が足りなかったとシェーン博士は主張しました。（しかし調査委員会はデータ・ファイルをいくつか入手して、捏造の形跡を調べました。）

シェーン博士はまた貴重な超性能試料を1個も提出できませんでした。数百個あったはずの実験試料はすべて測定中に損傷したか、コンスタンツ大から輸送中に損傷したか、単に廃棄されたと説明されました。

シェーン博士は論文中のグラフや数値に、操作や入れ替えが生じたことを認めましたが、それはミスやアクシデントによるものだと述べました。また測定データと称して理論計算によるデータが示されているところは、論文に、より「説得力」を持たせるためにそうするのが慣習だと述べました。

同じグラフが引き伸ばされたりコピーされたりして違う箇所に使われていることを調査委員会が指摘すると、シェーン博士は説明することができませんでした。

2002年9月25日、調査委員会は報告書を発表し、24項目の疑問点のうち16項目に捏造または改竄《かいざん》にあたる研究不正があったと結論しました〈注13に同じ〉。同時に共著者についてはは研究不正の疑いなしとしました。同日、シェーン博士は解雇されました。

シェーン博士のきらびやかな論文約80篇のうち40篇が、撤回されるか、または共著者によって読者への注意が呼びかけられました。『サイエンス』論文、『ネイチャー』論文、『フィジカル・レビューB』論文はすべて撤回されました。撤回されていない論文も、今後研究者に信用されることはないでしょう。

こうして史上空前の捏造事件は科学的には決着しました。

なお、2004年6月11日、コンスタンツ大はベル研調査委員会の結論に基づいて、ヤン・ヘンドリック・シェーン氏の博士号を剝奪《はくだつ》すると発表しました〈注21〉。シェーン氏は法廷に訴えましたが、敗訴しました。

まとめと評価——革命級のホラ話

- 発表から撤回まで……2年9ヶ月
- ストーリーの科学的インパクト……産業革命級
- 捏造の巧妙さ……発覚まで4ヶ月程度

●社会的影響……世界的
●総合……☆☆☆☆☆

シェーン氏の捏造はどの時点から始まったのでしょうか。1996年12月31日に大学院生のシェーン氏が投稿した論文〈注22〉にすでに捏造の形跡があることをライク氏は報告しています〈注23〉。しかしここではベル研の調査委員会が認定した16件の研究不正のうち最も古い2000年2月11日付けの論文〈注8に同じ〉を捏造の始まりとします。これが撤回される2002年11月1日までの2年9ヶ月を発表から撤回までの期間とします。

シェーン氏がスパッタリング装置から取り出した数々の試料はナノテクのあんな夢こんな夢をかなえてくれるものでした。もしもこの報告が本当だったら、もしもこのペースで超性能素子を開発し続けていたら、今頃はナノテク産業革命が起きていたでしょう。革命級のホラ話です。

けれどもシェーン氏の捏造は徐々に手を抜いたものになりました。2001年12月7日付けの論文〈注1に同じ〉のグラフが以前の論文〈注7に同じ〉のグラフと同じであることはリン・ルー博士によって2002年4月19日に発見されました。ここでは4ヶ月を捏造が発覚するまでの期間としておきます。
シェーン氏は世界各国が研究開発に力を注いでいるナノテクのスーパースターでした。その成果がすべて捏造だったというニュースは世界に衝撃を与えたといっていいでしょう。
総合すると、これは間違いなく史上最大の捏造でしょう。星5個です。約80篇ものファンタスティックな論文を『ネイチャー』、『サイエンス』など一流誌に立て続けに発表したところが高得点です。

教訓 人当たりのいい好人物も捏造する。人柄では捏造は判定できない。

〈注1〉Jan Hendrik Schön, Hong Meng, Zhenan Bao, 2001, "Field-effect modulation of the conductance of single molecules," Science, vol. 294, p2138.
2002/11/01、撤回。
〈注2〉その後この博士号は取り消されるのですが、本書では当時の「博士」という呼称を用います。

〈注3〉J. H. Schön, M. Dorget, F. C. Beuran, X. Z. Xu, E. Arushanov, M. Laguës, C. Deville Cavellin, 2001, "Field-induced superconductivity in a spin-ladder cuprate," Science, vol. 293, p2430.

２００３／05／02、撤回。

〈注4〉J. H. Schön, Ch. Kloc, T. Siegrist, J. Laquindanum, H. E. Katz, 2001, "Charge transport in anthradithiophene single crystals," Organic Electronics, vol. 2, p165.

〈注5〉J. H. Schön, Ch. Kloc, B. Batlogg, 2001, "High-temperature superconductivity in lattice-expanded C_{60}," Science, vol. 293, p2432.

２００２／11／01、撤回。

〈注6〉J. H. Schön, M. Dorget, F. C. Beuran, X. Z. Zu, E. Arushanov, C. Deville Cavellin, M. Laguës, 2001, "Superconductivity in $CaCuO_2$ as a result of field-effect doping," Nature, vol. 414, p434.

２００３／03／05、撤回。

〈注7〉Jan Hendrik Schön, Hong Meng, Zhenan Bao, 2001, "Self-assembled monolayer organic field-effect transistors," Nature, vol. 413, p713.

２００３／03／05、撤回。

〈注8〉 J. H. Schön, S. Berg, Ch. Kloc, B. Batlogg, 2000, "Ambipolar pentacene field-effect transistors and inverters," Science, vol. 287, p1022.

２００２／11／01、撤回。

〈注9〉 J. H. Schön, C. Kloc, B. Batlogg, 2000, "Perylene : A promising organic field-effect transistor material," Appl. Phys. Lett., vol. 77, p3776.

２００３／02／24、撤回。

〈注10〉 Jan Hendrik Schön, Hong Meng, Zhenan Bao, 2002, "Self-assembled monolayer transistors," Adv. Materials, vol. 14, p323.

２００３／03／20、撤回。

〈注11〉 J. H. Schön, Ch. Kloc, R. C. Haddon, B. Batlogg, 2000, "A superconducting field-effect switch," Science, vol. 288, p656.

２００２／11／01、撤回。

〈注12〉 J. H. Schön, Ch. Kloc, B. Batlogg, 2000, "Superconductivity in molecular crystals induced by charge injection," Nature, vol. 406, p702.

２００３／03／05、撤回。

〈注13〉 Investigation Committee, 2002/09, "Report on the possibility of scientific misconduct in the work of Hendrik Schön and coauthors.”

〈注14〉J. H. Schön, Ch. Kloc, E. Bucher, B. Batlogg, 2000, “Efficient organic photovoltaic diodes based on doped pentacene,” Nature, vol. 403, p408.
２００３／03／05、撤回。

〈注15〉Jan Hendrik Schön, Christian Kloc, 2001, “Organic metal-semiconductor field-effect phototransistors,” Appl. Phys. Lett., vol. 78, p3538.
２００３／02／24、共著者による注意喚起。

〈注16〉J. H. Schön, Ch. Kloc, A. Dodabalapur, B. Batlogg, 2000, “An organic solid state injection laser,” Science, vol. 289, p599.
２００２／10／31、撤回。

〈注17〉Jan Hendrik Schön, Christian Kloc, Harold Y. Hwang, Bertram Batlogg, 2001, “Josephson junctions with tunable weak links,” Science, vol. 292, p252.
２００２／11／01、撤回。

〈注18〉Eugenie Samuel Reich, 2009, “Plastic fantastic,” Palgrave Macmillan.

〈注19〉村松秀、２００６、『論文捏造』、中央公論新社。

〈注20〉余談ですが、ポール・マキューエン教授は、七三一部隊の残した細菌兵器をめぐる陰謀とコーネル大ナノ・サイエンス教授が戦う小説『渦巻き（未訳）』の作者でもあります。

〈注21〉Universität Konstanz, 2004/06/11, “Universität Konstanz entzieht Jan Hendrik Schön den Doktortitel,” Presseinformation Nr. 85.

〈注22〉J. H. Schön, O. Schenker, L.L. Kulyuk, K. Friemelt, E. Bucher, 1998, “Photoluminescence characterization of polycrystalline $CuGaSe_2$ thin films grown by rapid thermal processing,” Solar Energy Materials and Solar Cells, vol. 51, p371.

〈注23〉Eugenie Samuel Reich, 2009/05, “The rise and fall of a physics fraudster,” Physics World, p24.

第4章

ヒトES細胞

スター科学者の栄光と転落

世界の研究者が、国家の期待と威信と予算を背負って、万能細胞の研究開発を競っています。韓国のスター科学者黄禹錫《ファンウソク》教授は、2004年、世界に先駆けてヒト由来の万能細胞の作製に成功したと発表します。ところがこの「第一号最高科学者」に、何だか不穏な風評が立ちます。最初の疑惑は、黄博士が規則に反する手法でヒトの卵細胞を調達したというものでした。黄博士の熱烈な支持者はこの報道に反発し、韓国の世論は沸騰しました。

「第一号最高科学者」

2004年2月、韓国ソウル大学獣医学部の黄禹錫（1953〜）教授のグループは、ヒトの体細胞からES細胞の作製に成功したと『サイエンス』誌上で発表します〈注1〉。ニュースは韓国内と世界の両方を驚かせました。

黄教授はそれまで、ウシなどのクローン作りに成功したと発表し、韓国内ではスター科学者扱いでした〈注2〉。けれども国際的な学術誌への発表で世界から注目されるのはこれが初めてのことです。

黄教授の方法では、まずヒトの女性から、体細胞と卵子を採取します。（正確には、卵子になる前の「卵母細胞」を採取し、細胞分裂させて卵子にします。）卵子から、細胞核を顕微鏡手術で取り除きます。一方、提供者の体細胞からは核を取り出して、この核を核のない卵子に移植します。すると、うまく行けば、卵子はあたかも受精卵のように細胞分裂を始め、成長します。ここから多能性を持つＥＳ細胞（胚性幹細胞《はいせいかんさいぼう》）を取り出すことに成功した、というのが黄教授の発表です。論文によれば、16人の提供者から２４２個の卵子が採取され、そのうち20個が胚盤胞まで成長し、最終的に１株からヒトＥＳ細胞が取り出されたといいます。

体細胞核を卵子に移植して成長させる技術は「クローン」と呼ばれます〈注３〉。もしこれで卵子を新生児まで成長させることができれば、体細胞の提供者と同じ遺伝子を持つ新生児ができあがります。「クローン生殖」です。これまでマウス、ウシ、イヌ、ネコなど様々な動物のクローン・ベビーが作られました。

クローンを新生児まで育てなくても、胚や胎児の段階で組織を取り出せば、体細胞提供者へ移植手術が可能です。クローンされた組織は提供者と同じ遺伝子・同じタンパク質を持つため、拒絶反応が起きないのではないかと期待されます。けがで失った器官や病気にかかった組織の代わりをクローン技術で培養し、患者に移植できれば、現在の治療法では治せない障害や病気を治せるかもしれません。これが「クローン医療」の夢です。

しかしヒトのクローンは、技術的に難しいとともに、倫理的にも社会的にも問題が多々あり、胎児以降の段階まで成長させたという信頼できる報告は2004年の時点でも2021年現在でもありません。そういう理由でも、黄教授の発表は世界の度肝を抜くものでした。

黄教授の華々《はなばな》しい成功はこれにとどまりませんでした。続いて2005年5月には続報論文を『サイエンス』に発表します〈注4〉。

続報はさらに衝撃的な報告でした。低ガンマグロブリン血症、脊髄《せきずい》損傷、若年性糖尿病という、現在の医学では治療困難な病気や障害を持つ患者の皮膚細胞からES細胞を作製したというのです。18人の女性から提供された185個の卵子に、患者の皮膚細胞の核が移植され、計11株のES細胞が得られたというのです。(ただし1人の患者から2株のES細胞が作製されたケースも含まれるので、患者は11人ではなく9人。)

これが本当なら、世界の研究水準を飛び越える大成果です。夢のクローン医療もまもなく実現するような気がします。難病や障害に苦しむ人々が救われる日も近いでしょう。

黄教授は偉大な科学者です。その名は歴史に刻まれ人類に記憶されることでしょう。韓国中が喜びに沸き、この大成果を祝いました。

黄教授はマスメディアに引っ張りだことなりました。勲章や賞が雨のように降り注ぎ、政府からは「第一号最高科学者」の称号を与えられました。まだ科学分野のノーベル賞を受賞した韓国人はいませんが、黄教授が最初の受賞者となるのは確実と思われました。年間30億ウォン（3億円）の予算を与えられ、重要人物にふさわしい警護がつけられました〈注2に同じ〉。

しかし黄教授の成果を不審に感じる人もいました。

最初に疑問視されたのは、卵子の提供者の素姓《すじょう》です。ヒトのクローン研究が難しい理由の一つは、クローン研究が卵子を大量に消費することです。ヒトの卵子の調達には、倫理的・社会的問題がつきまといます。黄教授はいったいどこから卵子を提供するボランティアを何十人も探してきたのでしょうか。

禁断のヒト・クローン

黄教授の研究のどこが問題視されたのか、世界に与えた衝撃がどのような性質のものだったのか、解説しましょう。

1958年にカエルのクローンが作られて以来、クローン生殖の技術は年々進歩してきました。1996年に誕生したヒツジの「ドリー」は、哺乳類《ほにゅうるい》の成体の体細胞から作られたクローン・ベビーという点で画期的でした。現在では、ネコ、ウシ、ウマ等々のクローン・ベビーが生まれ、その種類は増え続けています。黄教授のグループによるイヌのクローン・ベビーも成功の一例です〈注5〉。

そうなると、誰でも気になるのがヒトのクローン生殖です。

クローン・ベビーは生物学的な通常の父母を持ちません。ベビーの遺伝子（のほとんど）は細胞核の提供者と同じで、提供者は男性の場合も女性の場合も死体の場合もあります。ややこしいことに、ベビーの遺伝子の一部の「ミトコンドリアＤＮＡ」は卵子の提供者と同じです。またクローン・ベビーは子宮内で育ちますが、この妊娠期間中、ベビーを体内に抱えて過ごす代理母がいるわけです。

これではいったい誰がクローン・ベビーの親といえるのでしょうか。ヒトのクローン・ベビーが誕生したら、おそろしくやっかいな社会的・倫理的・政治的問題が発生することは確実です。相続制度、家族制度、社会制度が解体の危機にさらされます。（筆者は解体して新規に作り直すのもいいかと思いますが。）

ヒト・クローン・ベビーのもたらす混乱を一足飛びに心配する必要がないとしても、ヒト・クローンの実験において、試料の提供者や代理母や患者の人権が保護されるかどうかは、真剣に考慮しなくてはなりません。これはクローン研究だけでなく、ヒトやヒト由来の試料を用いるあらゆる研究にあてはまることです。

その実験はそもそも被験者の益になるものでしょうか。研究の利益を被験者の人権に優先していないでしょうか。

提供者や被験者は参加にあたってその研究の目的とリスクを知らされるのでしょうか。同意するように圧力をかけられたり、他の治療法があることを知らされなかったり、（収監者の場合は）刑期を短くするという約束や報酬で誘導されたりしないでしょうか。

その研究成果は誰のものになるのでしょうか。病気や遺伝情報などの個人情報は保護されるのでしょうか。

こうした考慮が必要なのは、医学のため・社会のためという名目で行なわれた、患者や被験者の人権を無視する実験的治療や同意なき人体実験の悲惨な実例が、歴史上無数にあるからです。ヒト・クローン研究やヒト由来試料を用いる研究がそうした悪例を増やすことになってはいけないというのが世界の医学研究者の合意です。

1996年のクローンヒツジ「ドリー」の誕生は世界を驚かせ、ヒトのクローン生殖も不可能ではないことを知らしめました。その数年後、多くの国が、ヒトのクローン生殖を禁止する法律を作り、またそれとともに、ヒトやヒト由来の試料を使う研究を規制しました。

日本では2000年に「ヒトに関するクローン技術等の規制に関する法律」が公布され、ヒトのクローン生殖の実験は実質的に禁止されました。また「ヒト幹細胞臨床研究」や「ヒトゲノム・遺伝子解析研究」を行なう研究機関は、「倫理審査委員会」を設置するよう定められました。倫理審査委員会は、その研究において、個人の人権の保障が科学的・社会的な利益に優先して配慮されているかなどを審査することになっています。

韓国では2004年1月に「生命倫理及び安全に関する法律（生命倫理法）」が成立し、2005年1月から施行されました。生命倫理法は、ヒトの胚を用いる研究は研究機関の「機関倫理審査委員会」の承認が必要であると定め、卵子や細胞などの提供者が書面で研究に同意することなどを義務づけています。

疑惑報道と熱狂的な支持者

２００４年2月、黄教授のチームがヒトのクローン胚を成長させ、そこからＥＳ細胞を作製したと発表したのは、このような背景のもとでした。世論はその成果に驚くと同時に、黄教授の研究が被験者や提供者の人権に配慮しながら行なわれたのかどうか、不安を感じたのです。

韓国では人権団体や活動家から疑問の声が上がりました。

２００４年5月の『ネイチャー』誌は、卵子の提供者が研究チーム内にいて、しかも未成年が含まれていると報道しました〈注6〉。これが事実なら、卵子の提供が本当に自由意思で行なわれたのか、疑問が生じます。研究に参加している学生は、卵子を提供するよう指導教官から要請されたら、立場上拒むことが難しいでしょう。

黄教授のチームが２００５年5月に発表した2番目の論文によって、黄教授の名声はますます高まりましたが、同時にそうした疑問の声も大きくなってきました。

２００５年11月22日、韓国ＭＢＣ放送のテレビ番組『ＰＤ手帳』は、卵子提供者に研究チームのメンバーが含まれていること、提供者に謝礼金が支払われていたことをスクープします。

謝礼金が支払われていたとすると、提供者はボランティアではなく卵子を売ったことになり、卵子売買は生命倫理法に反します。また黄教授の2篇の論文中には「謝礼は支払われていない」と明記してありますが、この説明と矛盾します。

このスクープは韓国を沸騰させました。黄教授を英雄視する人々は疑惑報道に反発し、憤激しました。激しい抗議が沸き起こり、MBC前の広場には群衆が殺到します。『PD手帳』はスポンサーが降板して、一時期は存続の危機に陥りました。

この騒動は黄教授の嘘《うそ》が次々暴かれるにつれてますます大きくなり、何ヶ月も続くことになります。黄教授に対する批判に抗議して自殺する人まで現れます。

よくいえば大胆、悪くいえば稚拙

2005年12月5日、卵子売買疑惑渦中の黄教授に別の側面から重大な告発がなされます。2005年の論文中のES細胞写真が捏造《ねつぞう》だという指摘が、匿名の研究者によりインターネット掲示板に投稿されたのです〈注7〉。

論文捏造の発覚した瞬間です。(ここからが本書の主題です。)

いわれてみると、黄教授の２００５年の論文『ヒト体細胞核移植胚盤胞から得られた患者オーダーメイド胚性幹細胞〈注４に同じ〉』のデータは、おかしな点が素人目にもわかります。

論文には９人の患者の皮膚から作られたＥＳ細胞の写真がずらりと並んでいますが、その中に、どういうわけか、まったく同一の写真が何点も見つかります（図４）。あるいは１枚の写真が２枚に切り離されて２ヶ所に使われています。どう見ても写真の切り貼《ば》りによる捏造工作です。

また、得られたＥＳ細胞のＤＮＡ指紋と、元となる患者のＤＮＡ指紋を比べた図では、両者が完全に一致しています。ＥＳ細胞のＤＮＡと患者のＤＮＡを正確に解析したら、両者が微小な揺らぎやノイズまで一致することはありえません。これは解析結果のデータ曲線をコピーして二つに増やしたためで、よくいえば大胆、悪くいえば稚拙な捏造です。

世界中の有志によって黄教授の論文は隅から隅まで調べられ、最初の指摘からものの数日のうちに、論文のつぎはぎぶりがすっかり晒《さら》し出されてしまいました。世界に衝撃を与えた２００５年の論文はデータ捏造によってでっち上げられたものだったのです。

図4　患者オーダーメイド胚性幹細胞論文のES細胞写真

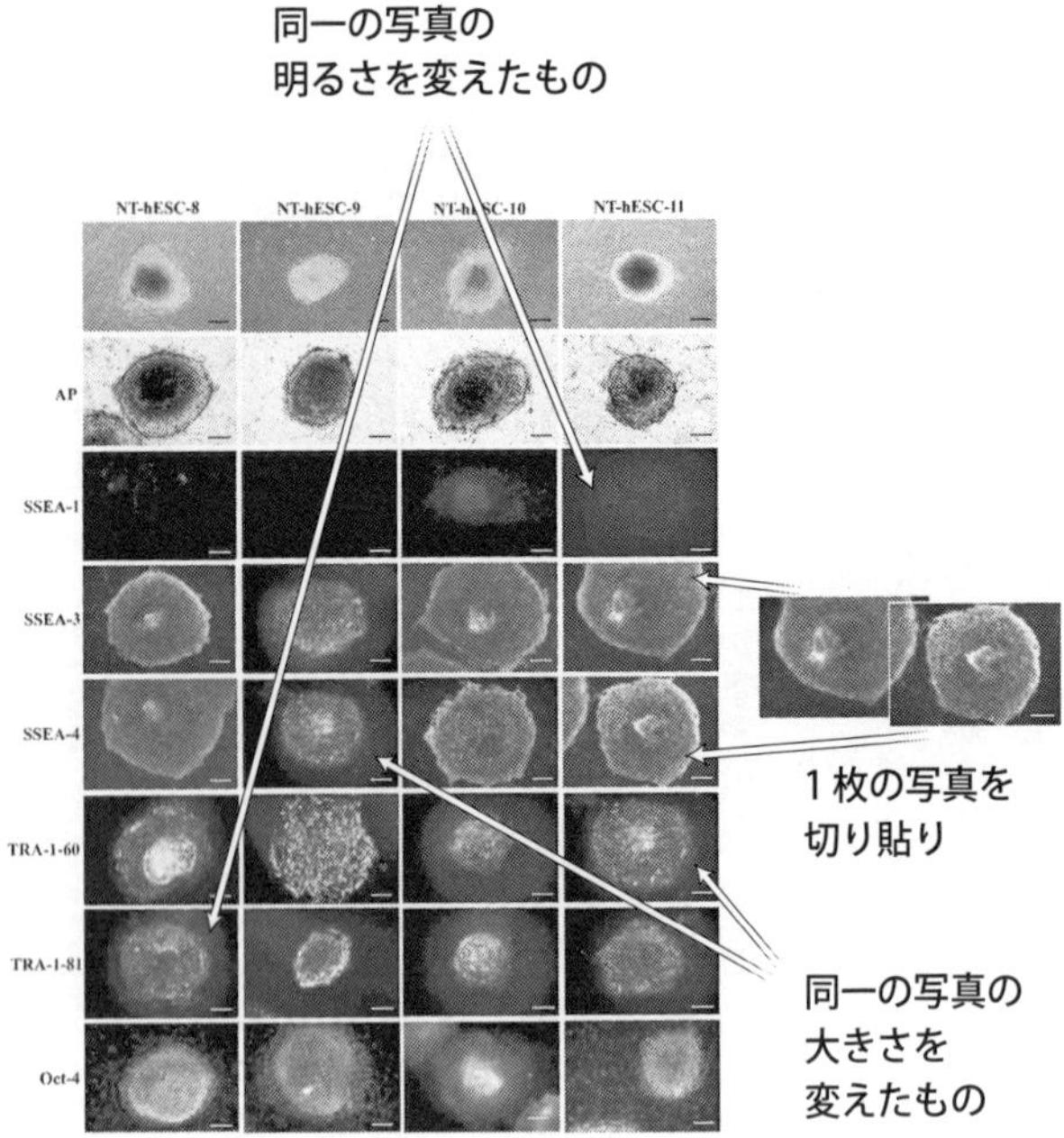

論文〈注4〉の図 S1c

ずらりと並んだES細胞の写真には、まったく同一の写真が何点も見つかります。あるいは1枚の写真が2枚に切り離されて2ヶ所に使われています。よくいえば大胆、悪くいえば稚拙な捏造です。

論文にデータ捏造が含まれていれば、その論文はもう信用に値しません。そうなると患者オーダーメイドＥＳ細胞を作製したという主張は根拠を失います。患者オーダーメイドＥＳ細胞は本当に作られたのでしょうか。

ソウル大はこの問題を調査する委員会を立ち上げました。黄教授の２００４年の論文、２００５年の論文、卵子提供の情況等々、調査につれて次々と問題が発覚しました。委員会は正月返上で細胞を解析し、証人に聞き取り調査を行ないました。

２００６年1月10日、ソウル大調査委員会は『黄禹錫教授の研究疑惑に関する最終報告書〈注8〉』を出しました。そこで明らかにされたのは、２００４年の論文も２００５年の論文も捏造で、黄教授の研究チームがヒトの体細胞からＥＳ細胞を作製した形跡はなく、論文データはでっち上げだというものです。

冷凍保存されていた細胞株を調査委員会が入手し、卵子提供者のＤＮＡと照合して調べたところ、それらは卵子と、副産物として生じる小さな細胞「極体」の融合による「単性生殖」か、試験管内で人工受精の手法で作られた受精卵に由来する細胞であることが判明しました。２００４年の論文が主張するようなヒト体細胞から核移植で作製されたものではなく、ましてや２００５年の論文のいうような患者オーダーメイドＥＳ細胞ではありませんでした。

世界に衝撃を与えたヒト・クローンES細胞は存在しなかったのです。

また調査は、卵子提供の生々しい情況も明らかにしました。卵子提供者の1人は当時大学院生で、採取のために病院へ連れていったのは他でもない黄教授自身でした。

黄教授は卵子売買疑惑に対して、提供者が誰だか関知していないと弁明していましたが〈注2に同じ〉、それは嘘だったことになります。

黄教授らは、卵子提供者に謝礼が支払われたという訂正記事を2005年12月16日付けの『サイエンス』に掲載したのに続き、2006年1月12日付けで、2004年論文と2005年論文の両方を撤回しました。

黄教授は2006年4月、ソウル大を罷免《ひめん》されました。黄教授は『PD手帳』が疑惑を報じた2005年11月の段階で辞意を表明していましたが、辞職されるとソウル大による調査に支障が生じるため、それまで辞職を認められていませんでした。

真犯人

2006年5月12日、黄博士を含めた6人の関係者が、研究費の詐取・横領、卵子を売買した生命倫理法違反等の罪状で在宅起訴されました。

２００９年10月26日、ソウル中央地裁は全員に有罪を宣告し、判決の中で論文捏造の事実を認定しました〈注９〉。黄博士は懲役２年・執行猶予３年、金《キム》宣《ソン》種《ジョン》（１９６９〜）元ミズメディ病院研究員は懲役２年・執行猶予３年、李《イ》柄《ビョン》千《チョン》元ソウル大教授は罰金３０００万ウォン、姜《カン》成《ソン》根《グン》元ソウル大教授は１０００万ウォン、尹《ユン》賢《ヒョン》洙《ス》元漢陽《ハニャン》大教授は７００万ウォン、ジャン・サンシク・ハンナ産婦人科院長は宣告猶予（罪の宣告を留保する韓国の制度）という量刑になりました。

その後黄博士は控訴・上告しましたが、２０１４年２月27日、最高裁は上告を棄却し、高裁判決の懲役１年６ヶ月・執行猶予２年が確定しました。同じ日に最高裁は黄博士の罷免取り消し訴訟についても差し戻し、ソウル大による罷免を正当としました〈注10〉。

韓国内外を揺るがした黄博士のヒトＥＳ細胞論文捏造事件は、社会的に決着しました。

ソウル中央地方検察庁による『幹細胞論文捏造事件捜査結果〈注11〉』と裁判所の出した判決は、捏造論文が世に出るに至った経緯を明らかにしています。そこには、黄博士の追い詰められるドラマをここまで読んできたみなさんにとって、驚くべきどんでん返し、最後の逆転とでも呼びたい真相が記されています。

実をいえば、捏造は研究チームのある人物の「単独犯行〈注12〉」でした。当時ミズメディ病院に所属していた金宣種研究員が「犯人」です。起訴された6人の中で金研究員はただ1人、研究の業務妨害と証拠隠滅《いんめつ》で有罪とされました。他の5人は捏造とは関係ない詐取や横領や生命倫理法違反です。

金研究員の捏造は、2004年の論文に掲載するためのDNA指紋データに始まります。このとき研究チームが作製したES細胞には、(それは目指していたヒト・クローン胚ではなく、単為生殖によるものでしたが) 提供者A氏の卵子が使われていました。しかし黄教授は提供者がB氏だと勘違いしていたため、B氏のDNA指紋とES細胞のDNA指紋が一致しないことに困惑しました。黄教授はB氏のDNA試料を金研究員たちに渡し、ES細胞と一致するはずだと期待と圧力をかけました。

すると金研究員は、期待どおりのDNA指紋データを持ってきたのです。これは物理的にありえないデータでしたが、それを知らない研究チームはヒト・クローンES細胞の作製の証拠として喜びました。

こうして2004年の論文には、捏造されたDNA指紋データがヒト・クローンES

細胞の証拠として掲載されることになりました。

この捏造が成功してから金研究員の行為はエスカレートしました。金研究員は幹細胞培養チーム長の立場でした。黄博士は調べに対し、自分は幹細胞の形成状態が判断できず、金研究員に頼りきっていたと供述しています。

２００4年末、患者の体細胞核を移植した卵子はどれもＥＳ細胞まで成長せず、患者オーダーメイドＥＳ細胞の作製は行き詰まっていました。

金研究員の供述によると、同研究員はミズメディ病院にあった受精卵幹細胞を密《ひそ》かに持ち出し、ソウル大で作製した細胞塊に混入させました。

研究チームは世界初のオーダーメイド型幹細胞が完成したものと思い込んで喜びに沸きました。興奮した黄教授は、患者10人分のＥＳ細胞ができていいはずだと金研究員にプレッシャーをかけました。同研究員は期待に応《こた》え、次々にＥＳ細胞作製に「成功」し、最終的には11株のＥＳ細胞株を取り出してみせました。どれも、患者細胞由来ではなく、無関係な受精卵の細胞を混ぜて作った偽物でした。

さらに金研究員は論文に載せるデータも捏造しました。ＤＮＡ指紋、テラトーマ写真、胚細胞写真等々、すべて金研究員の作品でした。インターネット上で指摘された細胞写真の切り貼りはこうして作られたのです。

こうした事情が明らかになってみると、黄博士に捏造の最終責任を負わせるのはいささか酷という気がします。捏造が指摘されるまで黄博士はES細胞作製を真正と信じていたふしがあります。本書に挙げる数々の事例が示すように、研究者の捏造は、共同研究者がそれを見抜けないことがしばしばあります。

黄博士は研究費の詐取・横領で有罪とされました。しかし集めた資金は私益のためではなく、研究用途に流用されていたと判決は述べています〈注13〉。『国家を騙《だま》した科学者〈注2に同じ〉』によれば、黄教授は卵子提供者に違法な謝礼を払ったり、指導する学生に卵子を提供させるなど、そのやり方は傲慢《ごうまん》で、人間を扱う研究に必要な倫理というものに欠けていたとされています。マスコミや政府関係者と癒着していたとの指摘もあります。ずいぶん悪役に描かれていますが、『国家を騙した科学者』は2006年5月の検察による調書と2009年の判決の前に書かれたことに注意して読む必要があります。

本書の主題である捏造に関していえば、黄博士の落ち度は、共同研究者の捏造に気づかず、自分を筆頭著者とする論文に仕立てて発表したことにあります。捏造研究者としては、黄博士は悪質とはいえないでしょう。

まとめと評価——本当なら「夢のある捏造」

●発表から撤回まで……1年10ヶ月
●ストーリーの科学的インパクト……ノーベル賞級
●捏造の巧妙さ……発覚まで6ヶ月程度
●社会的影響……韓国内で大、世界にも少なからず
●総合……☆☆☆☆

2004年3月12日付けでヒト・クローンES細胞の論文が発表されてから、2006年1月12日付けで撤回されるまでの1年10ヶ月を、社会を騙《だま》しおおせた期間の目安として挙げておきます。

もし本当に低ガンマグロブリン血症、脊髄損傷、若年性糖尿病等の難病のクローン医療法を確立したならば、ノーベル賞も考えられます。大変夢のある捏造と評価できるで

しょう。

捏造は2論文の様々な箇所におよんでいますが、最初に見つかったのは2番目の論文の細胞写真でした。2番目の論文が発表されてから、インターネット上で指摘されるまでの6ヶ月を、捏造の巧妙さの目安として挙げておきます。

黄博士は以前から韓国のスター科学者でした。卵子売買疑惑とそれに続く捏造発覚は、韓国を揺るがしました。また疑惑を最初に指摘したのは『ネイチャー』誌であり、これは国際的な関心を呼んだ事件といえます。

捏造の出来は稚拙でしたが、結果として、有名なスター科学者のスキャンダルと転落劇が上演されることになり、エンターテインメント性を高く評価できます。総合で、星4個をつけておきます。

教訓 部下の功績で論文を書いて筆頭著者におさまると、足を掬《すく》われることがある。論文の筆頭著者は、最も貢献した共同研究者にするのが正しい。

〈注1〉Woo Suk Hwang, Young June Ryu, Jong Hyuk Park, Eul Soon Park, Eu Gene Lee, Ja Min Koo, Hyun Yong Jeon, Byeong Chun Lee, Sung Keun Kang, Sun Jong Kim, Curie Ahn, Jung Hye Hwang, Ky Young Park, Jose B. Cibelli, Shin Yong Moon, 2004, "Evidence of a pluripotent human embryonic stem cell line derived from a cloned blastocyst," Science, vol. 303, p1669. "Supplementary material," Science, vol. 303.
２００６／01／12、撤回。

〈注2〉李成柱著、裵淵弘訳、２００６、『国家を騙した科学者』、牧野出版。

〈注3〉卵子を用いずに、体細胞から何らかの方法で万能細胞を作製し、分裂・成長させる方式のクローンもあります。

〈注4〉Woo Suk Hwang, Sung Il Roh, Byeong Chun Lee, Sung Keun Kang, Dae Kee Kwon, Sue Kim, Sun Jong Kim, Sun Woo Park, Hee Sun Kwon, Chang Kyu Lee, Jung Bok Lee, Jin Mee Kim, Curie Ahn, Sun Ha Paek, Sang Sik Chang, Jung Jin Koo, Hyun Soo Yoon, Jung Hye Hwang, Youn Young Hwang, Ye Soo Park, Sun Kyung Oh, Hee Sun Kim, Jong Hyuk Park, Shin Yong Moon, Gerald Schatten, 2005, "Patient-specific embryonic stem cells derived from human SCNT blastocysts," Science, vol. 308, p1777. "Supplementary material," Science, vol. 308.
２００６／01／12、撤回。

〈注5〉Byeong Chun Lee, Min Kyu Kim, Goo Jang, Hyun Ju Oh, Fibrianto Yuda, Hye Jin Kim, M. Hossein Shamim, Jung Ju Kim, Sung Keun Kang, Gerald Schatten, Woo Suk Hwang, 2005, "Dogs cloned from adult somatic cells," Nature, vol. 436, p641.

このイヌは真正のクローンであることがのちの検証で確認されました。

〈注６〉David Cyranoski, 2004, "Korea's stem-cell stars dogged by suspicion of ethical breach," Nature, vol. 429, p3.

〈注７〉http://bric.postech.ac.kr/myboard/read.php?Board=sori&id=3464

〈注８〉Seoul National University Investigation Committee, 2006/01/10, "Final report on professor Woo Suk Hwang's research allegations."

〈注９〉李明振、２００９／10／27、『ＥＳ細胞：３年越しの一審判決、論文ねつ造介入認定』、朝鮮日報。

〈注10〉李永完、２０１４／02／27、『ＥＳ細胞：再起目指す元教授、大法院判決でまたも辛酸』、朝鮮日報。

〈注11〉서울중앙지방검찰청、２００６／05／12、『줄기세포 논문조작 사건 수사 결과』。

〈注12〉金哲中、２００６／05／14、『科学界における聖水大橋崩落事件』、朝鮮日報。

〈注13〉２００９／10／27、中央日報。

第5章

STAP細胞

捏造を異物として排斥する「科学の免疫機能」

難病を治したい、失った四肢《しし》を取り戻したい、病気の器官を取り替えたい、そんな夢を持って、新しい医療の道具・万能細胞を世界各国が競って研究しています。

２０１４年、万能細胞を作る新しい手法が発表されました。体細胞を酸性の液に浸《つ》けるというあきれるほど簡単な方法で、万能細胞に変えることができるというのです。しかもその驚愕《きょうがく》の発見を成し遂げたのは、まだ若い女性研究者、いわゆるリケジョでした。

リケジョ旋風

２０１４年１月28日、理化学研究所（理研）の小保方晴子《おぼかたはるこ》（１９８３〜）ユニットリーダーらが記者会見を開き、万能細胞を作る革新的な手法を開発したと発表しました。

万能細胞は未来の医療に役立つ道具です。不治の病を治し、難病患者を助けると期待されている万能細胞を、世界中の研究者が競って開発中です。

笑顔の小保方ユニットリーダーが説明するところによると、普通の体細胞に刺激を与えるというごく簡単な方法、例えば酸性の溶液に浸けることによって、万能細胞を作製できるというのです。

「刺激惹起《じゃっき》性多能性獲得（Stimulus-Triggered Acquisition of Pluripotency）」、略して

「ＳＴＡＰ《スタップ》」と格好いい名がつけられたその現象は、論文にまとめられ、科学誌『ネイチャー』に２０１４年１月30日付けで掲載されました〈注1、注2〉。

　あまりにも簡単すぎて、かえって誰も思いつかなかったその方法に、世界が驚愕しました。

「万能細胞 簡単に作製」（２０１４／１／30、日経新聞）
「刺激だけで新万能細胞」（２０１４／１／30、朝日新聞）
「万能細胞 初の作製」（２０１４／１／30、毎日新聞）
「第３の万能細胞」（２０１４／１／30、読売新聞）

　と、新聞各紙は一面で報じました。

　万能細胞といえば、山中伸弥《やまなかしんや》（１９６２〜）京大教授が別の手法の万能細胞「ｉＰＳ細胞」作製の功績で２０１２年のノーベル生理学・医学賞を受賞したばかりです。震災を受けて暗い雰囲気だった日本はその明るいニュースに沸き、山中教授は一躍時の人となりました。

　今回の発見は、それに続く、いやそれを超えるかもしれない大成果です。ノーベル賞だって期待できます。マスメディアもインターネットもこの話題で沸騰しました。

しかもその方法を発見したという小保方ユニットリーダーは、30歳という若さの女性研究者です。

「科学界に新ヒロイン登場」と雑誌は書きました〈注3〉。

会見には「ヴィヴィアンのミニスカ」です。「巻き髪に」「大ぶりな指輪を左手中指につけて」臨みました。新ヒロインはなかなかおしゃれです。

「ピンク色を愛し、割烹着《かっぽうぎ》姿で研究室にこもる」と、新聞は報じました〈注4〉。研究室の壁はピンクと黄色でカラフルに統一したそうです。おじさん研究者ならこんな色っぽい記事にはなりません。記者のはしゃぎようが伝わってきます。

「間違いだ」といわれ「泣き明かした夜は数知れない〈注3に同じ〉」

「お風呂のときもデートでも四六時中、研究のことを考えていた〈同〉」

ああ、かつてこれほど女子力あふれる科学記事があったでしょうか。

記者は小保方ユニットリーダーの趣味や人柄をまるで重大事のように取り上げ、ペットのカメの名前（ポンスケだそうです）を記事にし、私生活や子供時代のエピソードを発掘するため近所を聞き回りました。もうまるでアイドル扱いです。

報道の過熱ぶりには、さすがの小保方ユニットリーダーも困惑し、「研究成果に関係のない報道が独り歩きしてしまい、研究活動に支障が出ている状況です」とコメントを発表するほどでした〈注5〉。

ブームの余波で、「リケジョ」がにわかに注目をされました。多くの人がこのとき初めてこの単語を耳にしました。リケジョとは理系女子を略した造語で、実は講談社の登録商標です。

「リケジョ時代」と雑誌は特集しました〈注6〉。

「リケジョ 快挙に続け」と新聞は書きました〈注7〉。「ムーミンのキャラクターを飾った研究室でSTAP細胞について話す小保方さん」の写真付きです。

「理系女子の発想が常識覆《くつがえ》した」と新聞社説は讃《たた》え、小保方さんは「女性研究者や、研究者を目指している理系女子『リケジョ』の励みになるかもしれない」と、理系でも女子でもない立場からの感想を述べました〈注8〉。

「ゴールに向かって疾走する小保方さんの姿を、多くのリケジョが見つめている」と新聞コラムは書きました〈注9〉。

「そのなかからきっと、あとに続く研究者が出てくるはずだ」

なかなか名文です。

けれども一方、小保方旋風《せんぷう》の前から女性の理系研究者は大勢いて、着実に成果を上げ活躍をしているのですが、どうも社説やコラム担当者の目には入っていないようです。そうしたキャリアを持つ女性研究者たちを「リケジョ」呼ばわりして、「励みになる」とか「あとに続く」などと書くのは失礼な話ですが、しかしそういう批判の声が上がりそうになった矢先、この騒動は奇妙な展開を見せます。

万能細胞の開く新しい医療

小保方ユニットリーダーらが作製したという「万能細胞」とは何でしょうか。なぜ万能細胞に世界中の研究者が注目しているのでしょうか。

生命はどれも、最初は1個の細胞から始まります。種子植物や動物なら受精卵です。それが細胞分裂して2個に増え、4個に増え、さらに分裂を繰り返し、やがて組織ができ、ヒトの場合なら胎盤《たいばん》ができ神経ができ小さな心臓が脈打ち、十月十日《とつきとおか》ののちに子宮から外界に産み出されておぎゃあと産声《うぶごえ》を上げます。このときには未熟ながらも筋肉も脳も肝臓も、臓器や組織がそろっています。

　筋肉細胞や脳細胞や肝細胞は形も大きさも機能も全然異なっています。筋肉細胞は細長く、指令に応じて伸び縮みします。脳細胞は電気化学的信号を伝える役割を持ち、肝細胞は化学処理を行なう、といった具合です。

　このように細胞の役割が決まることを「分化」といいます。

　分化した細胞は決められた働きしかできません。筋肉細胞を脳に移植しても脳細胞には変化しません。また、分化した細胞は決まった種類の細胞しか生み出せません。肝細胞が細胞分裂しても肝細胞しか生まれません。

　けれども最初の受精卵はまだ分化していません。ここから細胞分裂で生み出された娘《じょう》細胞《さいぼう》や孫細胞は胎盤や脳や筋肉や肝臓になることができます。こういう多様な潜在能力を備えた未分化の細胞は「多能性細胞」または「万能細胞」などと呼ばれます。さらに分裂して、娘細胞や孫細胞を生み出せる万能細胞は「万能幹《かん》細胞」です。

　多能性を持つ細胞と分化した細胞はどこが違うのでしょうか。姿形が違うのはもちろんですが、その違いはどういうしくみで実現されているのでしょうか。筋肉細胞の伸縮構造を設計し、脳細胞を配線し、肝細胞に分解酵素を生産するように指示するのは何ものでしょう。

各細胞の機能や形状は「デオキシリボ核酸」略して「ＤＮＡ」というひょろ長い鎖《くさり》状の分子に記述されています。ＤＮＡのある箇所には例えば筋肉繊維を作る分子の設計が書かれ、筋肉細胞は自分の持つＤＮＡのその箇所を読み出して指示にしたがいます。脳細胞は神経の活動に必要な箇所を、肝細胞は肝機能に必要な箇所を読み出します。

そして分化した細胞のＤＮＡは、一部だけが読み出し可能で、不要な部分は読めないように不活性化されていると考えられています。不活性化の機構はまだよくわかっていませんが、ＤＮＡに「ここは読み取らない」ことを示す標識分子をくっつけたり、読み取らない部分を巻き取って小さく畳《たた》んだり、何種類もの方法を複雑に組み合わせているようです。そのため例えば、筋肉細胞では肝細胞の使う部分が不活性化されていて、筋肉細胞は肝機能酵素を作れない、というような状況が起きているのです。

一方、受精卵の持つＤＮＡはおそらくほとんどの部分が読み取り可能な状態なので、受精卵は様々な役割を持つ細胞に分化できるのでしょう。

ならば分化した細胞のＤＮＡを、何らかの方法で受精卵のように活性化できれば、筋肉細胞や脳細胞や肝細胞を未分化状態に戻し、つまり万能細胞を作れるのではないでしょうか。

万能細胞が自在に作れれば、医療にもたらす可能性ははかりしれません。例えば筋肉が衰える病気は、患者の皮膚の細胞をちょっと拝借し、万能幹細胞を経て筋肉組織を培養し、患者に移植して治療できるかもしれません。脳が衰えた患者には脳細胞を、肝臓の病気の人には新しい肝臓を、与えることができるかもしれません。

万能細胞の技術は、不治の病を治し、失われた四肢や視力や聴力を回復し、老化を克服するかもしれないのです。世界の研究者が万能細胞技術の開発に取り組むのは、そういう期待がかけられているからなのです。

しかし言うは易《やす》く行なうは難《かた》し、万能細胞をどうやったら作り出せるのか、まだ人類は試行錯誤している状態です。


「胚性幹細胞《はいせいかんさいぼう》（Embryonic Stem cell）」、略して「ES細胞」は、受精卵からしばらく発達を遂げた細胞で、受精卵ほどではありませんがある程度の多能性を示します。

ES細胞の中では活発な活動が行なわれ、DNAが巻きほどかれ、読み出され、転写されたり酵素に変換されたりしています。ＤＮＡのある箇所（因子）が読み出されて使用中のとき、その因子は「発現」しているといいます。

ＥＳ細胞内で発現している多数の因子の中に、多能性をもたらすものがあるかもしれません。そう考えた山中伸弥教授は、ＥＳ細胞で発現している因子を別の細胞に組み込む実験を繰り返して、多能性の原因となる4個の因子を突き止めました。ＤＮＡのその4因子を、分化した体細胞のＤＮＡに組み込むと、分化した細胞が多能性を取り戻すのです。この手法で作製された多能性細胞は「Induced Pluripotent Stem cell」、略して「ｉＰＳ細胞」と命名されました。

ただしｉＰＳ細胞の多能性は受精卵ほどではありません。受精卵は分裂し分化して胎児と胎盤の両方を作り出します。胎盤とは胎児と母体をつなぐ組織で、栄養や酸素を胎児に供給し、老廃物や二酸化炭素を母体に送り返します。ｉＰＳ細胞は胎児の組織はうまく作れるようですが、胎盤の組織にはなれません。胎盤の組織を作るためにはさらに高度な万能性が必要なようです。

またｉＰＳ細胞にしろＥＳ細胞にしろ、必要な細胞に自在に分化させることはまだできません。神経の必要な患者には神経細胞を、肝臓の必要な患者には肝細胞を培養させせて移植できれば、医療に応用できるようになるでしょう。

ともあれ、分化した体細胞を多能性細胞に変えることに成功した山中教授は2012年のノーベル生理学・医学賞を受賞しました。

論文までの苦難の道のり

2011年2月、早稲田大学の大学院生だった小保方晴子氏は、博士論文を提出するとほぼ同時に〈注10〉、理研の客員研究員となり〈注11〉、神戸にある発生・再生科学総合研究センター（CDB）の若山照彦《わかやまてるひこ》（1967〜）チームリーダーの研究室で実験を始めました。（「ユニットリーダー」や「グループディレクター」「基礎科学特別研究員」など、理研は独特で謎《なぞ》めいた肩書きを発明するのが得意です。）

客員研究員という「身分」は、理研に雇われている立場ではなく、給料もありません。ただし研究室に出入りして、その研究室の采配《さいはい》の範囲で設備を使ったり実験を行なったりできます。つまり小保方客員研究員は若山チームリーダーの厚意で実験を行なっていたわけです。この間小保方客員研究員はハーバード医科大にポスドク（ポストドクトラル研究員）として雇われていたと発表されているので〈注12〉、これを本籍として理研の客員研究員に就いたようです〈注13〉。

　小保方客員研究員の研究テーマは、分化した細胞を刺激によって万能細胞に変化させる、という夢のような説でした。「できるはずがない」と若山チームリーダーも思いましたが、不可能が可能になったら面白いと考えて研究を支援しました〈注14〉。研究室の実験設備や装置を使わせ、マウスや高価な試薬を与え、便宜を様々計らい、アドバイスしました。

　そしてこの博士号を取得したばかりの客員研究員は、なんといったとおりに万能細胞を作製してみせます。2011年11月、小保方客員研究員が若山チームリーダーに手渡した細胞は多能性を示し、マウスの胚に注入すると胎児や胎盤の多種多様な組織に分化しました。

　若山チームリーダーは「口も利けないほど〈注14に同じ〉」驚き、感動に震えました。これは細胞学を革新する発見です。この客員研究員はすごい研究者です。

　小保方客員研究員と若山チームリーダーはこの大発見を論文にしたて、『ネイチャー』に投稿しました。小保方客員研究員が理研で実験を始めてから1年ほど経《た》った2012年の4月のことです。

けれども『ネイチャー』からはけんもほろろな拒絶（リジェクト）が返ってきました。

小保方客員研究員は論文を改訂し、2012年6月に『セル』に再投稿しましたが、再び却下されました。

小保方客員研究員はめげずに論文を改訂し、2012年7月に『サイエンス』に再投稿しました。

『サイエンス』からはさらに深刻なコメントが返ってきました。「この図は加工されている」と、匿名の査読者《レフェリー》は指摘しました〈注15〉。「レーン3とレーン6はくっつけてあるが、異なるゲルに由来するレーンの間には白い線を入れて区別するのが普通のやり方である。それからレーン2から4のGLバンドのふちははっきりしすぎていて疑わしいほどである」

まるでこの成果が捏造《ねつぞう》であるかのような書きようです。

ここで、この査読者は何を疑問視しているのか、説明しましょう。この鋭い査読者が世界で初めて小保方客員研究員の不正に気づいたことが、今では明らかです。

図5は、2014年1月に『ネイチャー』に掲載されたSTAP細胞論文〈注1に同じ〉の図1iです。論文によれば、STAP細胞の遺伝子と他の細胞の遺伝子を比較した図です。

ところがこの図には不自然なところがあります。図の明るさを調節すると、レーン3と隣のレーンの間に境界が浮かび上がります。こういう境界は、すべてのレーンを同時に作製して撮影する通常の方法では生じません。

この図は、レーン3の部分を加工・合成してあるのです。このような細工をすると、細胞間の比較ができず、STAP細胞がレーン3と同じ遺伝子を含むという証拠になりません。

『サイエンス』の査読者はこのような細工を論文中に見つけ、このような紛《まぎ》らわしいことをしてはいけないと注意しているのです。

2015年の現時点で、小保方氏側は2012年8月に『サイエンス』に却下された論文草稿を公表していないので、査読者が疑惑を持った図がどのようなものであったか、正確にはわかりません。しかしそれはおそらく『ネイチャー』論文の図1iと同様の図であったと想像されます。

図5　STAP 論文の画像加工

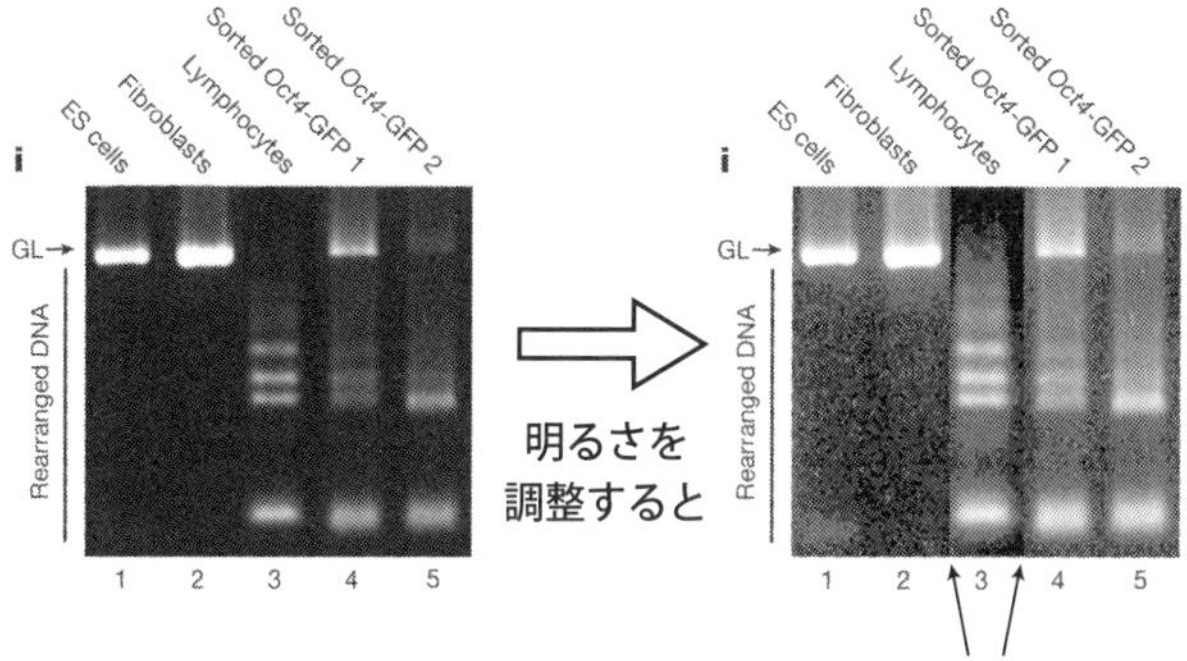

STAP 論文〈注 1〉の図 1i

不自然な境界
画像を加工した形跡

5個の縦に長い列（レーン）はそれぞれ5種類の細胞に対応し、レーン4とレーン5はSTAP細胞、レーン1～3は比較の細胞ということになります。きわめて簡単に説明すると、白い横縞は遺伝子のパターンを表していて、異なる遺伝子を持つ細胞は異なる横縞《よこじま》を示します。4と5のSTAP細胞の遺伝子は、「GL」と記された横縞と、3の白血球の横縞模様をあわせ持つというのが論文の主張です。

ところがこの図の明るさを調節すると、レーン3と隣のレーンの間に境界があることがわかります。この境界は画像を加工した形跡です。

ただし図1iにはレーン6がなく、また画像の加工も一見してわかるような稚拙なものではありません。明るさを調節してやっと浮き出るくらいの精巧さです。『サイエンス』の査読者に疑われた小保方客員研究員は、のちに『ネイチャー』に再投稿するまでに、画像加工の腕を上げたと思われます。

論文を真っ向から否定された失意の小保方客員研究員ですが、捨てる神あらば何とやら、理研CDBから、「ユニットリーダー」に応募するよう誘いがあります〈注16〉。ユニットリーダーになれば研究予算もつき、身分も研究も当面安泰です。小保方客員研究員の研究を支援していた若山チームリーダーは2012年4月から山梨大学教授も兼任していて、2013年4月からは本拠地を山梨に移すことになっていたので、これは好都合です。

この抜擢《ばってき》は、小保方客員研究員の研究がCDBグループディレクター会議で話題にのぼったことがきっかけのようです〈注17〉。幹細胞の研究者を求めていたCDB上層部は、候補者のセミナーなど、通常の採用手続きをだいぶ略して、小保方ユニットリーダーを内定します。

ここでこの事件のもう一人の登場人物が現れます。CDB細胞分化・器官発生研究グループの笹井芳樹《ささいよしき》（１９６２〜２０１４）グループディレクター、のちのＣＤＢ副センター長です。２０１２年12月21日、笹井グループディレクターは人事委員の１人として、ユニットリーダー面接会場で小保方客員研究員に出会います〈注18〉。

小保方氏はのちの記者会見で「ピンチになったときに、必ず助けてくれる人が現れた」と語っていますが、このときに助けてくれたのは笹井グループディレクターでした。もっとも笹井グループディレクターにとっては、これが文字どおり命取りとなります。

小保方客員研究員の研究に対して笹井グループディレクターも最初は半信半疑でしたが、万能細胞の証拠となる動画を見せられて「ホ、ホンマや……」と絶句します〈注３に同じ〉。

『ネイチャー』など著名誌に論文を何回も載せた経験のある笹井グループディレクターは「アドバイザーとして」論文の手直しに着手します。目標は『ネイチャー』への再投稿です。小保方客員研究員と「一緒に」「横に座って」英文の推敲《すいこう》を行ないました〈注18に同じ〉。

秀才笹井には、小保方客員研究員らの論文はアラが目立ちました。「論旨がジャンプ」し、文章がちぐはぐです。文意がとれないほど混乱している箇所があるかと思うと、別の箇所はまるで他人の文章を写したようになめらかです。笹井グループディレクターは「火星人の論文かと思った」と皮肉を漏らしたそうです〈注19〉。「STAP細胞」という、一度で覚えられる印象的な命名も笹井グループディレクターの発案でした。小保方客員研究員は「王子様のキスで目覚める『P《プリンセス》細胞』」を提案しましたが、笹井グループディレクターは却下しました。

論文の題も変え、『ネイチャー』論文としては長くなったので2部に分けました。小保方・若山が先頭著者のアーティクル論文と、小保方・笹井が先頭のレター論文からなる大論文です。

そして2013年3月、小保方客員研究員のユニットリーダー就任（同年4月笹井CDB副センター長就任）とほぼ同時に、完成した2論文『体細胞から多能性への刺激惹起性運命変換〈注1に同じ〉』と『初期化された多能性獲得細胞が二方向に発達する能力〈注2に同じ〉』は投稿されました。

世界を驚愕させ、大騒動を引き起こし、笹井副センター長を死に追いやることになったSTAP論文です。

うっかりミスはありえない

その後のＳＴＡＰ細胞の短い栄光と過酷な凋落《ちょうらく》は、まだ記憶に新しいところです。査読者との長く消耗する議論と修正に次ぐ修正を繰り返した果て、２篇《へん》のＳＴＡＰ論文は『ネイチャー』に２０１３年12月に受理され、２０１４年１月に掲載されます。掲載とタイミングを合わせて理研は記者会見を開き、ＳＴＡＰ細胞と小保方ユニットリーダーを世に知らしめます。世間はこの大発見と小保方ユニットリーダーに夢中になりました。

小保方ユニットリーダーの割烹着やカメのポンスケが話題になると同時に、世界で多くの研究者がこのＳＴＡＰ論文と小保方ユニットリーダーの過去の論文を精読し、ＳＴＡＰ細胞の作製を追試しました。

一見、科学論文の体裁をしたＳＴＡＰ２論文は、実は不審な点をいくつも含んでいました。

最初に指摘された不備は、他人の論文からの文章コピーでした〈注20〉。実験方法を説明する部分がまるまる写してあったのです。そういう箇所はいくつもありました。図５

に示した画像加工も判明しました。理研内部では調査が始まりました〈注21〉。

1、2週間も経つと、世界中から、論文の方法でSTAP細胞が作れないという報告が相次ぎました。

STAP細胞のDNAデータが公開されると、それを解析して、論文に記されているような由来と整合しないと指摘する研究者も出てきました〈注22〉。

当初、若山教授や笹井副センター長たち共同研究者は弁明し、論文の不備は不正ではなく不注意やミスだと説明し、小保方ユニットリーダーをかばいました。彼らは不正した覚えはなく、研究は真正だと最初は信じていたのです。

けれども2014年3月9日には捏造の決定的な証拠が匿名の通報者によってインターネットで公開されます〈注23〉。

STAP幹細胞が様々な組織に分化した証拠写真は、小保方ユニットリーダーが2011年に提出した博士論文〈注24〉の別の写真を流用したものだったのです。図6に示します。

この指摘によって、STAP2論文の不備が単なるミスではなく不正であること、この論文が捏造であることが確定しました。

図6　STAP 論文の図と博士論文の図

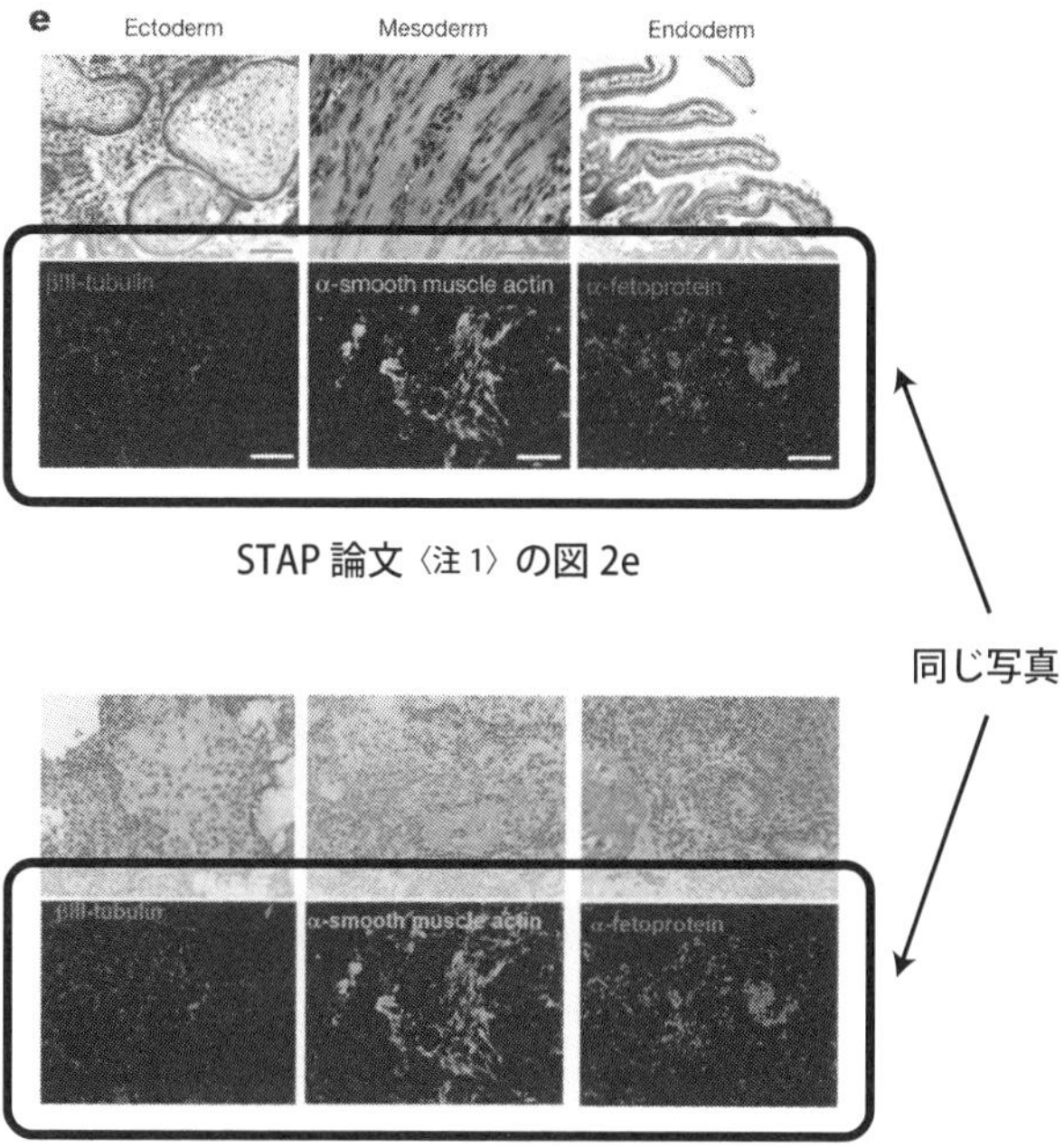

STAP 論文〈注 1〉の図 2e

博士論文〈注 24〉の図 14

STAP 論文の図 2e は、STAP 細胞がマウスの体内で 3 種類の組織に変化したことを示しています。左から上皮、骨格筋、腸繊毛の組織です。一方、博士論文の図 14 は、「骨髄球」細胞が神経、筋肉、管様構造の 3 類の組織に変化したことを示したもので、違う実験の写真です。STAP 論文の図はこの博士論文の図を切り貼りし、文字を書き換えて作成したものです。

博士論文は大学院生が何年もかけ心血を注いで執筆する大論文です。博士号取得者は誰でも大変な苦労をした経験を共有します。（まるで一種の通過儀礼です。）そうした思いをして完成させた博士論文の写真を、うっかりミスで投稿論文に使ってしまうというようなことは、およそ考えられません。STAP細胞の証拠写真は意図的に捏造されたものなのです。

翌日2014年3月10日、それまでSTAP細胞の実在を訴えていた若山教授は、「論文の根幹に関わる重要な写真がまったく違う実験の写真だったため、論文の体をなさないと感じ」、論文撤回を共著者に呼びかけます。若山教授が捏造に気づいた瞬間です。

2014年3月31日付けで、理研・研究論文の疑義に関する調査委員会が『研究論文の疑義に関する調査報告書〈注21に同じ〉』を出します。これは小保方ユニットリーダーのSTAP2論文に「研究不正」と「捏造」があったと結論づけるものでした。小保方ユニットリーダー以外の共著者については「研究不正は認められなかった」が、若山教授と笹井副センター長については「責任は重大である」としました。

その後、小保方ユニットリーダーはこの結論に不服申し立てを行ないますが、結論はくつがえりませんでした〈注15に同じ〉。

２０１４年６月までには、小保方ユニットリーダーも、共著者のうち撤回に最後まで反対していたチャールズ・Ａ・ヴァカンティ教授も、撤回に同意し、ＳＴＡＰ２論文は２０１４年７月２日付けで撤回されました。

論文撤回により、学問的にはＳＴＡＰ細胞事件は決着がついたといえます。ＳＴＡＰ現象の存在を主張する論文がなくなれば、追試の必要も消え、世界の研究者が否定に労力を払う無駄もありません。

けれども一度火のついた世間の熱情は必要なくなればただちに消えるものでもありません。

広がる波紋

小保方ユニットリーダーがＳＴＡＰ細胞について記者会見した２０１４年１月28日の記者会見直後の世間を興奮状態と呼ぶなら、コピーと捏造が指摘されてからは狂乱とでもいうべきひどい状態に陥りました。

人々は「小保方さん擁護派」と「あの論文はやっぱりおかしい派」に分かれて罵《ののし》りあいました。

小保方ユニットリーダーの魅力に当てられた人は冷静な判断ができず、捏造の指摘を個人に対する中傷であるかのように感じて反発しました。また、論文が捏造であればSTAP細胞の証拠はないわけですが、STAP細胞に期待を抱いてしまった人は「論文が捏造であってもSTAP細胞は存在するのでは」と論理をねじ曲げて期待を保ちました。

マスコミやインターネットは大はしゃぎで騒ぎ立てました。最初にSTAP細胞が発表されたときには、科学そっちのけで小保方ユニットリーダーの女子力や割烹着やペットについて熱心に報じられましたが、捏造疑惑が浮上したときもその下世話な視線とゴシップ趣味はまったくゆらぎませんでした。

「研究室ボスに露骨にすり寄る」（2014/3/27、週刊文春）

「そもそも割烹着を着ていること自体、研究者としておかしいでしょう」（同）

手のひらを返すとはこのことです。

「リケジョらしからぬ厚化粧」（2014/4/29、女性自身）

「素人とは思えない手練感と計算された化粧」（2014/5/1、女性セブン）

これがつい先日まで、「美しすぎる博士小保方晴子さん〈注25〉」だとか「スーパー理系女子」などと褒《ほ》め称《たた》えていたのと同じ雑誌です。

「小保方さんの会見を見ながら、ずっと会社の後輩の顔が思い浮かび、ムカムカしました」（２０１４／４／３、女性セブン）

それは八つ当たりでは……。

「彼女は強い自己愛性パーソナリティの持ち主ではないかと思います」（２０１４／４／17、週刊文春）

「他人から批判されるのを嫌う特徴がある」（２０１４／４／24、週刊新潮）

批判されるのが好きな人はいないと思いますが……。

「小保方さんは『空想虚言症』という深刻な人格障害ではないかと疑ってしまいます」（同）

小保方ユニットリーダーを人格障害扱いです。

記者やカメラマンは執拗《しつよう》に小保方ユニットリーダーの私生活や家族やご近所を追いかけまわし、隠し撮りしました。

「雲隠れ、小保方晴子さん（30）を発見！」（２０１４／４／24、女性セブン）

「『小保方博士』を神戸で発見！」（２０１４／４／10、週刊新潮）

「彼女はマスコミの影を感じるや、頻繁に110番通報を繰り返しているのである」（同）

それはあなた方のせいでは……。

笹井副センター長もまた醜聞報道の対象となりました。

『「小保方さんは僕のシンデレラ」ノーベル賞候補・笹井教授の転落』（2014／3／27、週刊文春）

『「小保方博士」と直属上司の異様な『タクシー空間』』（2014／4／3、週刊新潮）

これは本文を読んでみると、小保方ユニットリーダーと笹井副センター長を乗せたタクシー運転手がいたというだけの記事です。

「京大医学部の恋のライバル」（2014／4／17、週刊文春）

30年前の噂話を記事にしたものです。

「京大医学部という超エリートコースで恋の火花を散らしながら青雲の志を抱いていた三人の同級生」（同）

一文にここまで死語を詰め込むとは、人間離れしたセンスです。

「職員たちの間では『二人がホテルから出てくるところを見た』とか『三宮駅近くで二

人が待ち合わせていた』という目撃談が、半ば公然と語られていた」（2014／4／24、週刊文春）

笹井副センター長は世間の凄《すさ》まじい悪意を感じたはずです。理研内も敵だらけに思えたでしょう。

2014年6月12日、理研外のメンバーからなる「研究不正再発防止のための改革委員会」は「早急にCDBを解体すること」、「新たなセンターを立ち上げる場合は、トップ層を交代」するように提言しました〈注17に同じ〉。提言書は笹井副センター長の行為を「研究不正の発覚を回避するもの、と疑われても致し方ない行為」と呼びました。

理研は改革委員会の提言書を受けて、CDBの縮小を含む改革に乗り出しました。研究予算が削減され、大勢の研究者が居場所を失うことになります。とんだとばっちりです。

また理研は「特定国立研究開発法人」に指定されることが有力視されていましたが、法案は先延ばしになりました。（2016年に指定。）

予算や計画のあてや捕らぬ狸《たぬき》の皮算用が外れた人々の恨みと怒りは小保方ユニットリーダーと笹井副センター長に向けられたと想像されます。

追い討ちをかけるように2014年7月27日にはNHKが『調査報告 STAP細胞不正の深層』を放送します。

2014年8月5日、笹井副センター長は理研内で縊死《いし》しているのが見つかりました。自殺と見られます。

小保方ユニットリーダー宛《あて》の遺書には「絶対にSTAP細胞を必ず再現してください」と書かれていたといいます。

STAP論文画像が博士論文から流用したものであることを、インターネットで指摘されるより早く、笹井副センター長は小保方ユニットリーダーから聞いて知っていました〈注18に同じ〉。しかし笹井副センター長は理研の「研究論文の疑義に関する調査委員会」からも世論からも小保方ユニットリーダーをかばいました。指弾され、責任を追及され、悪意の奔流を浴びる中、笹井副センター長は最後まで彼女をかばいました。

笹井副センター長の死以後、マスコミの狂騒もインターネット上の中傷も、なくなりはしませんでしたが目に見えておとなしくなりました。

世間の話題としては、STAP騒動はここで一区切りをつけました。

手品の種明かし

論文が撤回されたことにより、STAP細胞が作製されたという主張も撤回され、この問題は学問的には決着がつきました。しかしこれではまだ「真相究明」されていないという声も大きく、理研外部の委員からなる「研究論文に関する調査委員会」が組織されました。つまり手品が手品だと暴かれただけでは足りず、一つ一つの種明かしまでしなければ真相究明とはいえないというわけです。

調査委員会は半年かけて小保方研のフリーザーなどに残された試料を綿密に調べ、2014年12月25日に『研究論文に関する調査結果報告書〈注26〉』を出します。これは、CDB研究室内で何が起きたのか、誰がどんな役割を果たしたのかが簡潔に述べられている重要な報告書です。

フリーザーに残されていた4株のSTAP幹細胞の正体は、かつて若山研で作製されたES細胞でした。調査委員会は細胞のDNA全シーケンス（配列）を比べる手法でこれを突き止めました。STAP論文の（博士論文からの流用でない）写真は、ES細胞の写真でした。

ＳＴＡＰ論文は画像が真正でないばかりでなく、ＳＴＡＰ細胞そのものもでっちあげでした。

ただし若山研のＥＳ細胞を小保方客員研究員の試料に混ぜ込んだ「犯人」については、「小保方氏を含め、いずれの関係者も故意又は過失による混入を全面的に否定しており」、「行為者を同定するに足りる証拠がないことから、委員会は、誰が混入したかは特定できないと判断」しました。

若山チームリーダーがＳＴＡＰ細胞に「口も利けないほど」驚き、感動に震えたとき、実は自分の研究室で作製した細胞を見ていたのです。真相は残酷です。

ここにおいて、若山チームリーダーや笹井グループディレクターを幻惑したＳＴＡＰ手品ショーは種まで解明されました。

まとめと評価——科学の免疫機能が素早く働く

- 発表から撤回まで……5ヶ月
- ストーリーの科学的インパクト……ノーベル賞級

●捏造の巧妙さ……発覚まで1ヶ月程度
●社会的影響……日本国内で大、世界にも少なからず
●総合……☆☆☆

STAP論文の発表から撤回までは5ヶ月でした。これが科学的な決着までの期間といえます。

もしもこの発見が本物だったら、細胞工学に革新を起こしていたでしょう。ノーベル賞も考えられます。

しかし捏造のやり方は杜撰《ずさん》で稚拙で、すぐにボロが出るものでした。博士論文からの画像流用は、1ヶ月程度で発覚しました。

この論文は、科学成果としては珍しく大々的に報道され、捏造疑惑が噴出してからの騒動と合わせて、一つの社会現象となりました。理研とCDBにおよぼした影響も大きく、人生を狂わされた人も多数におよびます。最大の被害を受けたのは、笹井副センター長でした。

総合で、5段階評価の星3個としておきます。

ＳＴＡＰ騒動は科学の終焉《しゅうえん》であるとか、科学に対する信頼の終焉のようにいいたてる人もいます。

しかし本書で示すように、科学に捏造はつきものです。これまでの科学史において捏造は無数に生じ、これからも現れるでしょう。

なぜなら、科学の発展のためには、誰でも研究を行ない自由に発表できる環境が必要で、そういう環境は必然的にある割合で捏造を生じさせるからです。捏造を根絶するために、研究者に倫理の試験を課し、発表前に資格審査を行なったら、科学の発展は止まってしまうでしょう。研究者となるための資格試験は研究結果のみ、発表前の審査はせいぜい査読のみにとどめることが、科学のためには必要です。

それでは査読によって論文捏造を見つけることはできるでしょうか。

残念ながら、査読者は捏造をほとんど見抜けないでしょう。査読は投稿論文の論理や証明が正しいか、学問的に新しいか、他人の研究を正しく引用しているか等は厳しくチェックしますが、写真やデータが捏造かどうかまでは見分けられません。

基本的に研究者は手品師や詐欺師《さぎし》に太刀打ちできません。研究者は正直な自然現象を相手にするときには鋭い観察者となりえますが、狡智《こうち》に長《た》けた人間を相手にするときには鈍さと単純さを露呈することがしばしばです。

騙す意図を持って捏造された研究結果はほとんどの研究者の査読をすり抜けるでしょう。（最初に小保方客員研究員の不正に気づいた『サイエンス』の査読者は例外的に優秀です。）偽《にせ》の細胞や偽の写真を出されたら、共同研究者は大発見を信じてしまうでしょう。自分は騙されない、という自信のある方がもしいらっしゃれば、そういう方がまんまと引っ掛かった無数の詐欺事例に学ぶことをお勧めします。

とすると捏造はやり放題、やった者勝ちなのでしょうか。

いいえ、捏造は必ず発覚します。捏造結果は自然法則に反し物理に矛盾するため、たとえ数人の査読者の目を欺《あざむ》くことはできても、大勢の研究者の長年にわたる追試や追観測を騙し続けることはできません。やがてはほころびが生じ指摘が相次ぎ、捏造結果は否定されます。

科学には捏造を異物として排斥する免疫機能が備わっているのです。

今回のＳＴＡＰ騒動は、実験が再現できないことが指摘されるまで１、２週間、論文撤回まで5ヶ月です。これはむしろ科学の免疫機能がすばやく働いた例といえます。本書の他の事件のように、発覚まで何年もかかり、その結果に騙された何世代もの研究者の労力が無駄になった捏造が何件もあります。

実はこのSTAP騒動は科学の手法の確かさを示し、科学に対する信頼をむしろ高めたケースといえるのです。

教訓 共同研究者や査読者が捏造を見抜くことは期待できない。

〈注1〉Haruko Obokata, Teruhiko Wakayama, Yoshiki Sasai, Koji Kojima, Martin P. Vacanti, Hitoshi Niwa, Masayuki Yamato, Charles A. Vacanti, 2014, "Stimulus-triggered fate conversion of somatic cells into pluripotency," Nature, vol. 505, p641. 2014/07/02、撤回。

〈注2〉Haruko Obokata, Yoshiki Sasai, Hitoshi Niwa, Mitsutaka Kadota, Munazzah Andrabi, Nozomu Takata, Mikiko Tokoro, Yukari Terashita, Shigenobu Yonemura, Charles A. Vacanti, Teruhiko Wakayama, 2014, "Bidirectional developmental potential in reprogrammed cells with acquired pluripotency," Nature, vol. 505, p676. 2014/07/02、撤回。

〈注3〉小宮山亮磨、野中良祐、２０１４／02／10、『新世代リケジョの衝撃』、ＡＥＲＡ。

〈注4〉２０１４／01／30、産経新聞。

〈注5〉小保方晴子、２０１４／01／31、『報道関係者の皆様へのお願い』。

〈注6〉塩月由香、大貫聡子、古川雅子、２０１４／02／24、『小保方晴子さんだけじゃないリケジョ時代』、ＡＥＲＡ。

〈注7〉滝田恭子、伊藤史彦、２０１４／02／01、『リケジョ 快挙に続け』、読売新聞。

〈注8〉２０１４／02／01、読売新聞。

〈注9〉２０１４／01／31、産経新聞。

〈注10〉２０１１／01／11に先進理工学研究科生命医科学専攻の博士論文公聴会、２０１１／02／08に博士論文の「完成版」を提出、２０１１／02／09に審査分科会が合格判定。（早稲田大学・大学院先進理工学研究科における博士学位論文に関する調査委員会、２０１４／07／17、『調査報告書』による。）

〈注11〉２０１１／02／06に客員研究員、２０１３／03／01にユニットリーダー就任（理化学研究所広報室による）。

〈注12〉笹井芳樹、２０１４／04／16、記者会見によれば、「ヴァカンティ研の直接雇用」。研究不正再発防止のための改革委員会、２０１４／06／12、『研究不正再発防止のための提言書』によれば「バカンティ研ポスドク」。

〈注13〉通常ポスドクになるのは博士号取得後ですが、小保方客員研究員は博士号取得後は主に日本で研究を行なっていて、日本に住む日本人をハーバード医科大がポスドクとして雇うのはやや不自然です。Office of Communications and External Relations/Harvard Medical School に問い合わせたところ、「オボカタ・ハルコは２００８年10月１日から２０１４年１月１日まで a training position（研修生）であった」という回答が得られましたが、ポスドク雇用については裏付けが得られませんでした。

〈注14〉伊藤壽一郎、２０１４／02／17、『「感動で全身が震えた」新型万能細胞「ＳＴＡＰ」若山照彦・山梨大教授に聞く』、産経新聞。

〈注15〉研究論文の疑義に関する調査委員会、２０１４／05／07、『不服申立てに関する審査の結果の報告』。

〈注16〉ＣＤＢ自己点検検証委員会、２０１４／06／10、『ＣＤＢ自己点検の検証について』。

〈注17〉研究不正再発防止のための改革委員会、２０１４／06／12、『研究不正再発防止のための提言書』。

〈注18〉笹井芳樹、２０１４／04／16、記者会見（https://www.youtube.com/watch?v=56E6gfI6aQE）。

〈注19〉須田桃子、八田浩輔、２０１４／07／21、『クローズアップ２０１４：ＳＴＡＰ論文著者 査読の指摘、軽視』、毎日新聞。

〈注20〉例えばJianli Guo, et al., 2005, "Multicolor karyotype analyses of mouse embryonic stem cells," In Vitro Cellular & Developmental Biology-Animal, vol. 41, p278 などから（注21による）。

〈注21〉研究論文の疑義に関する調査委員会、２０１４／03／31、『研究論文の疑義に関する調査報告書』。

〈注22〉遠藤高帆、２０１４／03／05、『ｋａｈｏの日記：ＳＴＡＰ細胞の非実在について』http://slashdot.jp/journal/578529/

〈注23〉11jigen、２０１４／03／09、
https://twitter.com/JuuichiJigen/status/442539625127505920
https://twitter.com/JuuichiJigen/status/442569716453105664

〈注24〉小保方晴子、２０１１、『博士論文 三胚葉由来組織に共通した万能性体性幹細胞の探索』、早稲田大学。

〈注25〉２０１４／02／18、女性自身。

〈注26〉研究論文に関する調査委員会、２０１４／12／25、『研究論文に関する調査結果報告書』。

第６章

１１８番元素

新元素発見競争でトップを狙ったバークレー研事件

ドイツ重イオン研究所のヴィクトル・ニノフ博士は米国ローレンス・バークレー国立研究所に転職しました。バークレー研は新しい元素を人工的に合成するレースで優位に立とうとして、ライバル研究所の新進気鋭ニノフ博士を雇ったのです。バークレー研の思惑どおり、ニノフ博士は新元素合成に成功します。しかしドイツや日本の研究所が追試しても、その元素が合成できません。バークレー研の関係者は青くなりました。

まだ誰も見たことのない合成実験

1999年4月、アメリカのローレンス・バークレー国立研究所（バークレー研）では、世界の誰も見たことのない118番元素の合成実験が行なわれていました〈注1〉。

電線とパイプの絡まりあった直径2メートル以上の「サイクロトロン」という装置の内部で、クリプトンという原子が高速でぐるぐる回ります。光速の10パーセントという猛烈な速度まで加速されたクリプトン原子は、サイクロトロンから飛び出してパイプをたどり、鉛の薄膜にぶつけられます。このような速度で原子どうしがぶつかると、原子の中心にある原子核が割れたり壊れたりします。そして見守る研究者の予想と期待によれば、そのうちほんのわずかな割合で、クリプトンと鉛の原子核が融合し、前人未到の

118番元素が誕生するはずです。

サイクロトロンは昼夜の区別なく稼働し続け、鉛の薄膜に撃ち込まれるクリプトン原子は億を超え京《けい》（10^{16}）を超え、100京個にも達しました。砕けた原子核の破片はそこら中に飛び散って検出器を反応させます。そのほとんどは求めている118番元素でない、いわばゴミです。

そしてコンピュータを駆使して無数のゴミ・データの中から宝石を探していたヴィクトル・ニノフ（1959〜）博士が、ついに検出器反応の特殊なパターンを報告しました。予想される118番元素のパターンです。

そういう反応パターンは230京回の衝突中、たった3回でした。118番元素の原子核が3個発見されたのです。

研究チームはお祭り騒ぎになりました。

栄誉ある新元素発見

「元素」とは、この世の物質を作る基本原料です。

例えば空気は大部分が窒素という元素と酸素という元素を混ぜたものです。私たちの肉体は半分以上が水でできていて、水という物質は酸素と水素という元素からなる「化合物」です。人体には他に炭素、窒素、カルシウムなど30種以上の元素が含まれています。

古来人間は元素に惹《ひ》かれ、未知の元素を探求してきました。19世紀には元素の発見ラッシュが起こり、空中や地中に何十もの新元素が見つかりました。化学者は鉱石をごり砕いたり酸で溶かしたりして、そこに見慣れない物質がないか探しました。新元素を発見し、命名することは、化学者にとって最高の栄誉でした。

19世紀にはまた、物体が「原子」という微粒子の集合であることも明らかになりました。

原子の発見により、元素と化合物という概念がはっきり整理されました。純粋な元素は1種類の原子の集合です。1種類の元素には1種類の原子が対応します。何種かの元素を化合させて化合物を作るとき、何種かの原子が結合して分子が作られています。新元素の発見と、新しい種類の原子の発見は、同じことです。

さて化学者は地中や空中、水中あらゆる場所に新元素を探し、20世紀前半には地球に存在する元素をことごとく発見してしまいました。その数およそ90種です。

これで元素探求は終わったかと思いきや、物理学者はとんでもないことをやらかしました。新元素を人工的に合成したのです。

最初に合成された元素は原子番号43番テクネチウムです。

1936年、イタリア生まれのアメリカの物理学者エミリオ・ジノ・セグレ（1905～1989）はカリフォルニア大の放射線研究所（のちのローレンス・バークレー国立研究所）を訪れ、発明されたばかりのサイクロトロンを用いて、43番元素の合成実験を行ないます。（このサイクロトロンは1994年の118番元素実験に使われたものとは別です。）

当時、43番目の元素は化学者の長年の探索によっても見つからず、周期表はそこだけぽっかり空欄になっていました。

セグレたちが重水素の原子核を加速してモリブデンの標的にぶつけたところ、43番元素がほんのちょっぴりできました。新元素は「人工」という意味のテクネチウムと命名されました。

調べてみるとテクネチウムの原子核は不安定で、最も安定なものでも400万年の半減期で徐々に崩壊して別の原子核に変わってしまうことがわかりました。これが化学者がいくら探しても自然界に43番元素が見つからない理由でした。46億年前に宇宙のチリが集まって地球ができたとき、そのチリに含まれていたテクネチウムは46億年の間に崩壊してなくなってしまったのです。

テクネチウム合成によって、新元素発見の道具立ては、鉱石を砕く擂《す》り鉢《ばち》やブンゼンバーナーから、電線とパイプの絡まりあう加速器に交代しました。(原子炉や核兵器実験の灰の中に新元素を探す手法も使われました。)新元素を探求する研究者は、サイクロトロンなどの加速器で原子核を加速し、標的原子核と衝突させ、地上に存在しない物質を作り出しました。この原理で、寿命の短い不安定な元素が次々に「発見」され、周期表は新元素が加わることによって長大に成長しました。(人工元素を「合成」すればすなわち「発見」です。)

研究手法の変化にともない、新元素の探求者も、化学者個人から、加速器を建造する物理学者チームに交代しました。新元素発見を競うのはもう野心に燃える化学者ではありません。国家や研究所の威信や予算を賭《か》けたレースが繰り広げられています。

それにしても、元素は物質の基本原料であり、合成できないというのが古来の常識でした。

秘法を用いて金《きん》を作り出すと主張する「錬金術師」という連中が中世ヨーロッパや古代中国、古代インドなどに存在して、秘薬を調合したり呪文《じゅもん》を唱えたりパトロンを騙《だま》して資金を巻き上げたりしました。当然のことながら、錬金術はことごとく失敗しました。金は元素の一つであり、化学反応で合成することはできないからです。

サイクロトロンを用いて地上に存在しない元素を創成することは、この古来の常識を木《こ》っ端微塵《ぱみじん》に粉砕する革命でした。人類の夢、錬金術が現代において実現したといえます。

ドイツからやってきた錬金術師

1980年代から1990年代、新元素合成レースの先頭を走っていたのはドイツの重イオン研究所の研究チームでした。

重イオン研の加速器は1981年に107番元素ボーリウムを、1982年に109番元素マイトネリウムを、1984年に108番元素ハッシウムを合成しました。重イオン研チームはさらに1994年に110番元素（のちにダームスタチウムと命名）と111番元素（のちのレントゲニウム）を、1996年に112番元素（のちのコペルニシウム）を合成・発見したと報告していました。まるで新元素の乱獲です。19世紀の元素発見ラッシュを彷彿《ほうふつ》とさせます。

そんな情勢の中、バークレー研が重イオン研のヴィクトル・ニノフ博士を雇ったことは、関係者を驚かせました。

ブルガリア出身のニノフ博士はダルムシュタット工科大学で1992年に博士号を取得した若手研究者でした。大学院生の頃から重イオン研の研究チームの一員として元素合成実験に携わり、110番、111番、112番元素の合成では中心的な役割を果たしました。重イオン研チームの当時の論文には必ず名前が載っています〈例えば〈注2〉～〈注4〉〉。ニノフ博士は検出器の開発とデータ解析プログラム両方の世界的エキスパートでした。

伝統あるバークレー研がライバル・チームから主力選手を移籍させたのは、新元素合成レースに返り咲くことを期待してのことでしょう。ニノフ博士がその腕をふるえばバークレー研のサイクロトロンから新元素が転がり出ると期待されました。なにしろニノフ博士は3種もの新元素を作り出した凄腕《すごうで》の錬金術師なのです。

ニノフ博士はバークレー研チームと協力してサイクロトロンに新しい検出器を取りつけ、コンピュータ・プログラムを書き、新元素合成レースの出場準備を整えました。その解析プログラムは「気むずかし屋」というあだ名で〈注5'〉、扱えるのは当時ニノフ博士だけでした。

そして1999年4月8日、バークレー研チームは原子番号118番の元素合成という大変野心的な実験を開始します。

世界のトップに躍り出たバークレー研

原子の核は「陽子」という粒子と「中性子」という粒子が集まってできています。原子番号は原子核に含まれる陽子の数です。元素は原子番号によって区別・分類されます。

新元素の合成は、大雑把にいって、その元素の原子番号が大きいほど難しいという傾向があります。けれどもある原子核理論は、陽子を118個も含む原子核は逆に安定になると主張しました。これが本当なら、118番元素はかえって合成しやすいことになります。

バークレー研チームはこの理論を検証するため、１１８番元素の合成実験を行なうことにしました。もしこの理論が正しければ１１８番元素が得られ、これは誰も成功したことのない快挙です。なにしろ重イオン研でもまだ１１２番元素までしか合成できていないのですから。

一方、１１８番元素が得られなければ、理論の誤りが実験で証明されたことになり、それはそれで一つの成果です。(理論屋の予想が間違っていることを実証するのは実験屋の生きがいです。)

１９３６年のテクネチウムの合成に比べて、現在では新元素の合成実験は桁違《けたちが》いに難しくなっています。原子番号１００番台の元素の原子核は43番のテクネチウムより桁違いに不安定なためです。

不安定な原子核はきわめて微量しか生成しません。１１８番元素もおそらく原子数個分しか合成されないでしょう。たった1個でも新元素の原子核が生成されたらそれを確実に検出する、鋭敏で低雑音の検出器が必要です。

不安定な１１８番原子核の寿命は数十マイクロ秒程度と予想されます。その後、１１８番原子核は崩壊し、別の原子核に変わるでしょう。そしてその新たな原子核もやはり不安定で、マイクロ秒からミリ秒の後にまた崩壊すると思われます。この崩壊の連鎖は、比較的安定な原子核ができるまで続きます。

もし原子核崩壊を知らせる検出器からの信号が予想どおりのタイミングで連続すれば、これは118番元素の崩壊パターンが見つかったことになり、新元素が合成された証拠です。

しかし元素合成実験では、衝突しなかった原子核や衝突で壊れた原子核の破片が大量に発生し、検出器はそういうゴミが飛び込んでくるため鳴りっぱなしです。この118番元素合成実験ではゴミ信号を生み出す衝突が100京回を超えます。その中から118番元素の崩壊信号を探し出すには、賢いコンピュータ・プログラムをフル稼働させないといけません。

そしてその確実な検出器と賢いプログラムのノウハウを持っていたのがニノフ博士でした。

ニノフ博士が製作に協力した検出器がサイクロトロンにセットされ、ニノフ博士が徹夜で書いたプログラムが走り出し、118番元素を捉える実験が始まりました。サイクロトロン稼働中を知らせる警灯が光り、1秒間に約2兆個のクリプトン原子が鉛原子に衝突します。

チームの期待を背負って、ニノフ博士は検出器信号のデータ処理に取り組みました。プログラムのバグを取り、パラメータを調節し、イベント・フィルタを取捨選択し、実験ノートの記録を手で打ち込み、プログラムが拾った崩壊パターン候補を目で確かめました。そしてついにニノフ博士はチームに、118番原子の崩壊パターンが見つかったと報告しました。

そういうパターンは実験を通して3回ありました。3個の118番原子です。図7に崩壊パターンを示します。またその崩壊過程で116番原子と114番原子も生じています。一挙に3種の新元素の発見です。これまでの記録をいくつも書き換える大成果です。

競争の激しい新元素研究では、発見を即座に論文にしないと他のチームに先を越されます。1999年4月8日から5月5日まで行なわれた118番元素合成実験の論文は1999年5月27日に投稿され、1999年8月9日付けで発表されました〈注1に同じ〉。投稿まで1ヶ月以内という早さです。

バークレー研チームの快挙に世間も核化学業界も興奮しました。バークレー研は思惑どおり、新元素合成競争のトップに躍り出たのです。ニノフ博士の抜擢《ばってき》は大成功です。
しかし喜び浮かれるバークレー研チームは間もなく青ざめることになります。

消えた118番元素

118番元素発見の報はたちまち世界の研究チームに伝わりました。ニノフ博士の論文が印刷されるのを待たずに、もう追試のために世界の加速器がぶんぶん回り出しました。

ニノフ博士の古巣の重イオン研チームは1999年7月7日に同じ実験を始めました〈注6〉。そして8月11日までには、バークレー研の約100京個を上回る約300京個のクリプトン原子を鉛原子に衝突させました。ところが重イオン研では、118番原子はただの1個も生じなかったのです。

また日本の理研では2000年2月に違う核種を用いて118番元素合成実験を行ないましたが、これもやはり118番元素を得ることはできませんでした〈注7〉。

追試が失敗したと聞いて、バークレー研チームは2000年春に再実験を行ないました。そして、今度は118番原子を合成することができませんでした。

こうなると１１８番元素発見は怪しくなってきます。ひょっとしたら実験のどこかに誤りがあって、早とちりを発表してしまったのかもしれません。チームは困惑し、原因を探しました。

バークレー研チームは悩みつつ再々実験を行ないました。２００１年の春のことです。今度こそ出てきてほしいというチームの祈りに応え、ニノフ博士は見事に１１８番原子を検出してみせます。さすが錬金術師です。

このときには、研究チームの他のメンバーもプログラム「気むずかし屋」の扱いを覚え、データ解析ができるようになっていました。そして他のメンバーが同じ実験データを生データから解析してみると……、１１８番原子は見つからなかったのです。

何か深刻な事態が進行していることに気づいた研究チームは、論文『^{86}Krと^{208}Pbの反応で生成された超重原子核の観測〈注1に同じ〉』の撤回を申請しますが、『フィジカル・レビュー・レターズ』編集部はいったんこれを断ります〈注8〉。

ファイルの履歴を調べると、２００１年5月7日の正午頃にデータが書き換えられているのがわかりました。「アルファ粒子」という、原子核崩壊で放出される粒子の信号がつけ加わり、そのためあたかも１１８番元素が生成されて崩壊したかのように見せかけ

図7 118番元素の崩壊

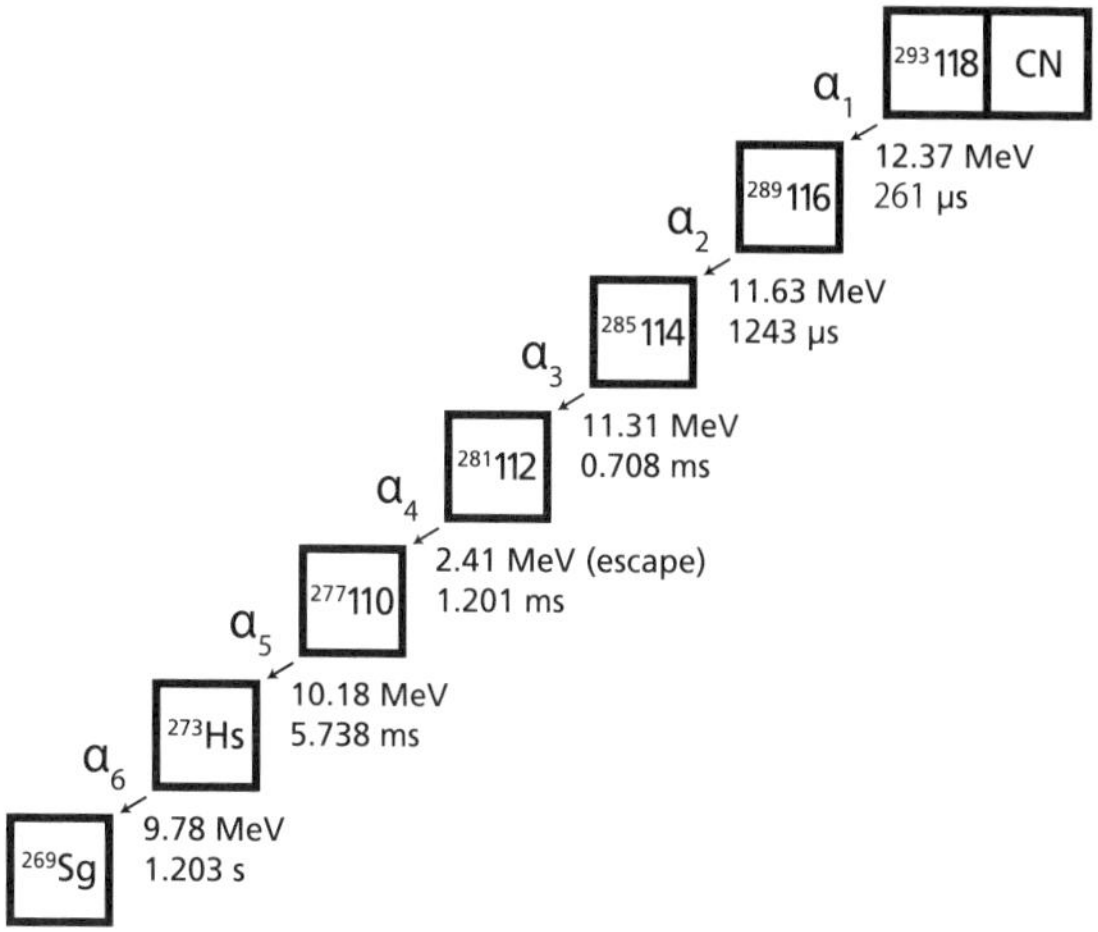

118番元素発見論文〈注1〉の図3

検出された118番元素の原子核の崩壊パターンの例。右上の「^{293}118」が合成された118番原子核。118番原子核は生成後261マイクロ秒で1個目のアルファ粒子「α_1」を放出して崩壊し、116番元素の原子核「^{289}116」に変化したことを表します。「12.37MeV」はアルファ粒子のエネルギー、「261μs」は崩壊までの時間です。116番原子核はさらに1243マイクロ秒後に2個目のアルファ粒子「α_2」を放出して崩壊し、114番元素の原子核「^{285}114」に変化しました。この崩壊の連鎖は6個のアルファ粒子を放出してシーボーギウム原子核「^{269}Sg」ができるまで続いたというのが論文の主張です。

ニノフ博士の解析したデータには、α_1からα_6まで6個のアルファ粒子の検出信号が連続で記録されていて、これより118番原子核が生成されたと結論されました。

られていたのです。

戦慄《せんりつ》した研究チームが１９９９年の実験データを調べると、やはり改竄《かいざん》の形跡がありました。ログから、ニノフ博士のアカウントがデータを編集したことがわかりました。

２００１年11月21日、バークレー研原子核科学部門のリー・シュレーダー部長はニノフ博士を有給の休職扱いとしました。

バークレー研の「評価委員会」はそれまで何回も調査を行ないながら結論が出せませんでしたが、とうとう11月28日、ニノフ博士が発見を捏造《ねつぞう》していたと結論づけました。


元素合成業界には激震が走りました。特に重イオン研は大騒ぎになりました。ニノフ博士が過去に残した解析データを再解析したところ、ここでも捏造が発覚したのです。

１９９５年の論文『^{269}110の生成と崩壊〈注２に同じ〉』では１１０番元素の４個の原子が検出されたと報告されていましたが、そのうち1個は捏造でした。また『新元素１１２〈注４に同じ〉』で報告された１１２番元素も、検出された2原子のうち1個が捏造でした。

ここでもニノフ博士の手口は同じで、新元素の崩壊パターンはデータを手で書き換えて捏造したものでした。

慌てた重イオン研チームは110番元素、111番元素、112番元素のやり直し実験の論文を投稿しました。幸い再実験でもこれらの新元素は現れ、重イオン研関係者をほっとさせました。捏造はあったものの、新元素の存在そのものは正しかったことになるからです。

やり直し実験の論文『111番元素と112番元素の新しい結果〈注9〉』には、過去の論文に使われたデータと磁気テープに保存された1994年の生データに「食い違い」があると述べられています。その原因として、「人間による誤り」の可能性は否定できないと、控え目な表現で捏造を認めています。

ニノフ博士は捏造を否定し、ニノフ博士のアカウントは誰でも使える状態にあったと主張しました〈注5に同じ〉。そんなすぐにばれるような細工をするわけがない、しても誰の得にもならないと、一見もっともな理屈を述べましたが、証拠はゆるがず、2002年5月にバークレー研を解雇されました。

『フィジカル・レビュー・レターズ』の編集部もようやく118番元素論文の撤回を承認し、2002年7月15日付けで撤回がアナウンスされました〈注8に同じ〉。

錬金術師ニノフ博士の作った118番元素はやはり幻でした。元素発見レースのトップに立つというバークレー研の願いは実現しませんでした。

なお、重イオン研チームの110番元素と112番元素発見の論文は、捏造データが含まれているにもかかわらず、国際純粋・応用化学連合によって新元素発見論文として認められました。この判断に筆者は賛成できません。これにより、ニノフ博士は新元素発見論文の共著者として名が残ることになりました。捏造を含む論文を認めたことは元素発見の歴史における汚点となるでしょう。

ともあれ重イオン研チームは、重イオン研の所在地ダルムシュタットにちなんで110番元素をダームスタチウム、X線を発見したドイツの物理学者レントゲンにちなんで111番をレントゲニウム、地動説を唱えた天文学者コペルニクスにちなんで112番をコペルニシウムと命名しました。

2004年にはロシアの合同原子核研究所とアメリカのローレンス・リバモア国立研究所の共同チームが114番元素と116番元素の合成に成功しました。114番元素は元素合成実験の行なわれたフレロフ核反応研究所にちなむフレロビウム、116番元素はリバモア研にちなむリバモリウムと命名されました。

そして2006年、この共同チームはついに118番元素を合成しました。118番元素は合同原子核研のユーリィ・オガネシアン（1933～）所長にちなんでオガネソンと名づけられました。

まとめと評価——関心の高い分野で巧妙に

- 発表から撤回まで……2年11ヶ月
- ストーリーの科学的インパクト……新元素命名級
- 捏造の巧妙さ……発覚まで2年1ヶ月程度
- 社会的影響……世界的
- 総合……☆☆☆☆

118番元素発見の論文は1999年8月9日付けで発表され、2002年7月15日付けで撤回されました。要した期間は2年11ヶ月です。

新元素発見というだけでも重要な成果なのに、112番元素までしか発見の報告がない当時、118番元素と、その崩壊で生じる116番元素と114番元素を一挙に発見するのは、一大成果です。これが本当の発見なら、バークレー研は3種の新元素の命名権を手にしていたでしょう。

1999年4月の実験データ捏造は、チーム・メンバーが解析プログラムを使えるようになる2001年5月まで発覚しませんでした。捏造の巧妙さの目安として2年1ヶ月としておきます。これは本書に登場する捏造の中では長期間です。

新元素発見は国際競争が繰り広げられている分野であり、研究者以外の一般の関心も高いのです。社会的影響は世界的といえるでしょう。

総合ですが、関心の高い分野で巧妙な捏造を行なった功績で、星4個とします。

ニノフ博士は自分が捏造しても得にならないと主張しましたが、まったくそのとおりです。ニノフ博士は検出器と解析プログラムのエキスパートで、バークレー研でも着実に成果を上げていました。捏造せず、118番元素実験が未検出に終わっても、別の元素発見で挽回《ばんかい》できた可能性はあります。いったいなぜ誰の得にもならない捏造をして才能を無駄にしてしまったのか、周囲も納得がいかないでしょう。

教訓 評価の高い研究者も捏造する。「業績のある人だから捏造しないだろう」とはいえない。

〈注1〉V. Ninov, K. E. Gregorich, W. Loveland, A. Ghiorso, D. C. Hoffman, D. M. Lee, H. Nitsche, W. J. Swiatecki, U. W. Kirbach, C. A. Laue, J. L. Adams, J. B. Patin, D. A. Shaughnessy, D. A. Strellis, P. A. Wilk, 1999, "Observation of superheavy nuclei produced in the reaction of ^{86}Kr with ^{208}Pb," Physical Review Letters, vol. 83, p1104.
2002／07／15、撤回。

〈注2〉S. Hofmann, V. Ninov, F. P. Heßberger, P. Armbruster, H. Folger, G. Münzenberg, H. J. Schött, A. G. Popeko, A. V. Yeremin, A. N. Andreyev, S. Saro, R. Janik, M. Leino, 1995, "Production and decay of ^{269}110," Z. Phys., A 350, p277.
110番元素ダームスタチウム発見論文。ニノフ博士は2番目。

〈注3〉S. Hofmann, V. Ninov, F. P. Heßberger, P. Armbruster, H. Folger, G. Münzenberg, H. J. Schött, A. G. Popeko, A. V. Yeremin, A. N. Andreyev, S. Saro, R. Janik, M. Leino, 1995, "The new element 111," Z. Phys., A 350, p281.
111番元素レントゲニウム発見論文。ニノフ博士は2番目。

〈注4〉S. Hofmann, V. Ninov, F. P. Heßberger, P. Armbruster, H. Folger, G. Münzenberg, H. J. Schött, A. G. Popeko, A. V.

Yeremin, S. Saro, R. Janik, M. Leino, 1996,"The new element 112," Z. Phys., A 354, p229.
１１２番元素コペルニシウム発見論文。ニノフ博士は２番目。

〈注5〉 George Johnson, 2002/10/15, "At Lawrence Berkeley, physicists say a colleague took them for a ride," New York Times.

〈注6〉 S. Hofmann, G. Münzenberg, 2000, "The Discovery of the Heaviest Elements," Rev. Mod. Phys., vol. 72, p733.

〈注7〉 Kouji Morimoto, Kosuke Morita, Isao Tanihata, Naohito Iwasa, Rituparna Kanungo, Toshiyuki Kato, Kenji Katori, Hisaaki Kudo, Toshimi Suda, Isao Sugai, Satoshi Takeuchi, Fuyuki Tokanai, Koji Uchiyama, Yoshiaki Wakasaya, Takayuki Yamaguchi, Alexander Yeremin, Akira Yoneda, Atsushi Yoshida, RIKEN SuperHeavy Experimental Group, 2001, "Search for a Z=118 superheavy nucleus in the reaction of Kr beam with Pb target at RIKEN," AIP Conf. Proc., 561, p354.

〈注8〉 V. Ninov, K. E. Gregorich, W. Loveland, A. Ghiorso, D. C. Hoffman, D. M. Lee, H. Nitsche, W. J. Swiatecki, U. W. Kirbach, C. A. Laue, J. L. Adams, J. B. Patin, D. A. Shaughnessy, D. A. Strellis, P. A. Wilk, 2002, "Editorial note: Observation of superheavy nuclei produced in the reaction of ^{86}Kr with ^{208}Pb [Phys. Rev. Lett., 83, 1104 (1999)]," Physical Review Letters, vol. 89, id. 039901.

〈注9〉 S. Hofmann, F. P. Heßberger, D. Ackermann, G. Münzenberg, S. Antalic, P. Cagarda, B. Kindler, J. Kojouharova, M. Leino, B. Lommel, R. Mann, A. G. Popeko, S. Reshitko, S. Śaro, J. Uusitalo, A. V. Yeremin, 2002, "New Results on Elements 111 and 112," Eur. Phys. J., A 14, p147.

第7章

農業生物学

スターリンが認めたルィセンコ学説

かつてソ連生物学と農業を支配したルィセンコ学説は、科学の議論に政治を持ち込むとろくなことにならないという見本です。最高指導者ヨシフ・スターリンは同志トロフィム・ルィセンコの（間違った）学説を強力に支持しました。ルィセンコの学説は当時のソ連の指導思想に合致しているというのです。演説会場は鳴りやまない拍手に包まれ、誰もがルィセンコの出世を予想し、同時にソ連の生物学への何世代にもわたる壊滅的な悪影響が確定しました。

「ブラボー、同志ルィセンコ、ブラボー！」

１９３５年２月、ソヴィエト社会主義共和国連邦で第２回全ソ集団農場《コルホーズ》突撃隊員大会が開催されました。これはソ連の国策である農業集団化を推し進めるための重要な会議で、最高指導者ヨシフ・ヴィッサリオノヴィッチ・スターリン（１８７９〜１９５３）をはじめ政府の全首脳が出席していました〈注１〉。

この晴れ舞台で、オデッサ品種改良遺伝学研究所所長トロフィム・デニソヴィッチ・ルィセンコ（１８９８〜１９７６）は見事な演説を行ないました。

当時、農学者ルィセンコはコムギの種を低温にさらす「春化《しゅんか》処理」という手法を開発し、コムギの収穫量を上げることに成功したという評判でした。その優れた功績はルィセンコ自身で発行する『春化《ヤロヴィザーツィア》』という雑誌で発表され、ルィセンコは何度も新聞記事に「裸足《はだし》の教授」として取り上げられていました。農家という「労働者階級」に生まれて学者になった若いルィセンコは、労働者の若い国家ソ連を象徴する人物だったといえるでしょう。

ルィセンコは春化処理が成功し普及しているという素晴らしい報告をしました。（農民が農業集団化に抵抗しているという腹立たしいニュースや、ウクライナ地方に大量の餓死者が出ているという陰鬱《いんうつ》な噂《うわさ》に比べて、なんと耳に心地好い報告でしょう。）

さらにルィセンコは、春化処理を攻撃する「階級の敵」「人民の敵」について述べました。科学の分野にも階級の敵がいて、破壊活動を行なっているというのです。春化処理はそういう敵を打ち破ったが、まだやるべきことが残っているとルィセンコは演説を締めくくりました。

スターリンは「ブラボー、同志ルィセンコ、ブラボー！」と叫びました。会場は雷鳴のような拍手喝采《かっさい》に震えました。

翌2月15日付けの新聞『プラウダ』は、ルィセンコの演説をスターリンの賛辞つきで掲載しました。ソ連共産党の機関誌『プラウダ』は当時のソ連で最も発行部数の多い新聞です。

ここで、ルィセンコ演説の背景に少々の解説が必要でしょう。捏造《ねつぞう》を科学の観点から記述するのが本書の姿勢ですが、ルィセンコの主張は当時の政治的文脈から切り放すと理解できません。

学術論争がイデオロギー論争に

1935年、ソ連の指導者スターリンは国内も国外も敵だらけの困難な舵取《かじと》りを行なっていました。

世界各国の政府は共産主義革命が自国に波及することを恐れ、ソ連に敵対していました。またその敵対関係は、帝国主義国家どうしの喰《く》うか喰われるかの関係でもありました。ソ連、米、英、ドイツ、日本といった大国は覇権《はけん》を求めて互いに衝突し、あるいは共同戦線を張り、2回目の世界大戦が今にも勃発《ぼっぱつ》しようとしていました。スターリンは遅れた農業国ソ連を工業化し、他国を圧倒する軍事大国に成長させる必要がありました。（そしてそれに成功します。）

そのためのステップである農業集団化は、1935年の時点でほぼ達成していました。けれどもその過程は、抵抗を弾圧し、「富農《クラーク》」と呼ばれた多数の反対者を「撲滅《ぼくめつ》」する、流血をともなうものでした。そして農業生産を徴発して工業分野に回した結果、収奪された農民に数百万人の餓死者が出ていました〈注2〉。国内の不満は高まり、政情は不安定となり、政敵はスターリンを追い落とす機会を虎視眈々《こしたんたん》と狙《ねら》っていました。あるいは、スターリンにはそう思われました。

1934年12月1日、ソ連共産党の中央委員会書記セルゲイ・ミローノヴィッチ・キーロフ（1886〜1934）が暗殺される事件が起きました。これはキーロフに私怨《しえん》を持つ男の単独犯行でしたが〈注3〉、スターリンはキーロフ暗殺をきっかけに、国内支配の徹底的な強化を開始します。その方法は、国家（つまり自分の方針）に反逆する者、反逆者と疑われる者、あるいは単に反逆者といいがかりをつけられただけの者を、ことごとく粛清するというものです。狙われた者は逮捕・拷問され、「階級の敵」「人民の敵」と呼ばれ、簡易裁判《トロイカ》で投獄か流刑あるいは銃殺になりました。粛清対象は政敵・軍幹部・政府高官からたちまち一般党員、一般人へ拡大し、疑心暗鬼とパニックが社会に広まり、魔女狩りと告発合戦が起こります。悪名高い「大粛清《テロル》」です。

1990年に公開された資料によると、大粛清のピークだった1937年から1938年に78万6098人が「反革命その他の国家反逆罪」で死刑判決を受けています〈注4〉。あとに述べるヴァヴィロフのように獄中や流刑先で死亡した者も相当数にのぼります。社会の性格が変わってしまう規模の大虐殺です。

1935年2月のルィセンコの演説はこのような社会情勢のもとで行なわれたものでした。ルィセンコ演説は農業集団化を成功として描くと同時に、当時始まりつつあった大粛清をいち早く科学の分野に持ち込み、科学者の中に「階級の敵」「人民の敵」を指摘してみせるものでした。スターリンが喜んだのも当然です。

1938年まで吹き荒れる大粛清の嵐《あらし》の中で、ルィセンコとその一派は、他の生物学者、特に遺伝学者と論争を繰り広げ、そのスタイルを確立します。ルィセンコ自身は自分の主張を先輩農学者イヴァン・ヴラジーミロヴィッチ・ミチューリン（1855〜1935）の名を借りて「ミチューリン主義」と呼んでいますが、ここでは単に「ルィセンコ学説」と呼ぶことにします。

ルィセンコ学説を正確に要約することは困難です。この「学説」は、科学の理論としては、当時の知識に照らしても混乱し誤りに満ちたもので、その欠陥を政治理論の言葉で粉飾してあります。

ルィセンコ派は学術論争をイデオロギー論争にすり替え、正しい政治理論にのっとっているゆえルィセンコ学説は正しく、反対する者はイデオロギー的に誤っていると主張しました。スターリン支配下のソ連では、こういう論法を用いると論敵に勝てるばかりでなく、相手は失脚、逮捕、投獄、最悪の場合銃殺、獄死といった羽目に遭いました。たいへん物騒な論法です。

弁証法的唯物論に基づく学説

要約困難なルィセンコ学説ですが、ルィセンコの著作や、共同研究者のイサーク・イズライレヴィッチ・プレゼント（1902〜1969）との共著から、特徴的な主張を拾ってみます。

▼春化処理によって秋播《ま》きコムギを春播きコムギに変えられる

コムギには秋に種を播く「秋播きコムギ」と、春に播く「春播きコムギ」という種類があります。秋に播かれた秋播きコムギは芽が出た状態で冬を越します。しかし冬の寒さが厳しすぎると、芽は枯れてしまい、収穫減となります。つまり冷害です。だからといって秋播きコムギを春に播いても穂が実らず、収穫できません。

ルィセンコは「春化処理」という言葉を発明し、これによって冷害問題を解決できると宣伝しました〈注5〉。春化処理とは（当初の意味では）、秋播きコムギの種を一定期間、低温にさらすことです。春化処理を施した秋播きコムギは春に播いても成長し、収穫できるのです。これで冷害を防ぐことができるというわけです。

この手法はソ連の農場で一時期試されましたが、数年で廃《すた》れました。手間がかかるわりに収穫が増えず、化学肥料・農薬や機械化などの近代農業技術の前に影が薄れ、顧みられなくなりました〈注1に同じ〉。

しかしルィセンコは春化処理に固執しました。春化処理によって収穫が増えるので、秋播きコムギばかりでなく春播きコムギにも行なうべきだと主張しました。実際にはこれで収穫は増えませんでした。

農場で春化処理が忘れられる一方で、ルィセンコ派の誇大宣伝はエスカレートしました。

春化（の応用）処理を1、2世代続けて施すと、コムギの春播き品種を秋播き品種に変化させられる、またその逆も可能だといい出します〈注6〉。これはつまり温めたり冷やしたりして育てると生物種が別の生物種に変化するという、生物学の常識に反する主張です。

春化処理はどんどん万能な役割を背負わされ、しまいには生物種を作り変えるための強力な道具にしたてあげられ、コムギの新品種や高温に強いジャガイモが春化処理の応用で誕生したと発表されました〈注7〉。

染色体は遺伝と無関係である。遺伝子は存在しない

当時、遺伝は生物学の熱い話題でした。遺伝のしくみが急速に解明されつつあったのです。

顕微鏡で生物の細胞を観察すると、「染色体」という、かりん糖のような細胞内器官が見られます。

現在の私たちは、染色体がＤＮＡを束ねたものだと知っています。生物の遺伝情報はＤＮＡという長い鎖《くさり》状の分子に記録されていますが、ある条件下ではＤＮＡは折り畳《たた》ま

れ束ねられ、染色体として観察されるのです。染色体が体細胞分裂や生殖の際に増えたり分配されたりするありさまを生物学者が観察するとき、実はＤＮＡの複製や分配を見ていたのです。

ルイセンコが春化処理を宣伝していた頃、染色体の正体がＤＮＡだとはまだわかっていませんでしたが、染色体が遺伝を受け持つ器官であることはすでに調べられていました。

アメリカの生物学者トーマス・ハント・モーガン（１８６６〜１９４５）はショウジョウバエを何千何万匹も交配させては染色体を丹念に観察し、眼の形を決める遺伝子や眼の色を決める遺伝子、羽の形を決める遺伝子などが、染色体のどの位置に存在しているか突き止めました。「染色体地図」を作成したのです。１９１５年のことです。

「遺伝子」とは、生物の体内にあって、眼の色や形といった形質を決める物質を意味します。きわめて大雑把な説明ですが、一つの遺伝子は、生物の体内で作られて使われる１種類のタンパク質を記述しています。例えばショウジョウバエの眼の赤いタンパク質を決める遺伝子があるとして、その遺伝子が変異した個体は、タンパク質の構造が異なり、そのため眼の色が異なる、というしくみで遺伝子は生物個体の形質を決めています。

現在の理解では、タンパク質の構造はＤＮＡ鎖に塩基配列として記述されています。普通の生物のＤＮＡ鎖にはいくつものタンパク質が記述されています。つまり１本のＤＮＡはいくつもの遺伝子からなるわけです。モーガンの染色体地図は、折り畳まれたＤＮＡである染色体のどの位置にどの遺伝子が記述されているかを表したものです。

モーガンの成果により、様々な生物の染色体と遺伝子が盛んに研究されるようになりました。遺伝学という学問分野の誕生です。モーガンは遺伝における染色体の役割を発見した功績で１９３３年のノーベル生理学・医学賞を受賞します。

（１９３３年はまた、モーガンの弟子ハーマン・ジョーゼフ・マラー⦅１８９０〜１９６７⦆が来ソした年でもあります。マラーはＸ線照射で突然変異が生じることを発見した優れた遺伝学者で、１９４６年にノーベル生理学・医学賞を受賞することになります。マラーは共産主義の思想に共鳴し、新生ソ連に期待して、ソ連に遺伝学を指導しにやってきます。しかしルィセンコ派の迫害を受けて帰国せざるをえなくなります。そしてソ連に残った友人遺伝学者たちの苦難を知り、スターリン主義に失望し、ルィセンコを宿敵として厳しく批判するようになります。）

ところがそうした遺伝学の進歩と世界の趨勢《すうせい》をよそに、ルィセンコは進化と遺伝のしくみについて独自の奇妙な見解を形成します。

染色体のような物質が遺伝と関係があるという主張は「ことごとく誤りである」とルィセンコは述べます〈注6に同じ〉。遺伝を担う特別な細胞内器官は存在しない、つまり遺伝子は存在しないというのです。

では何が遺伝を担っているかというと、生体内のすべての粒子、生体内のすべての液体だというのがルィセンコの「説」です。

この「説」から、ルィセンコは、お得意の春化処理をはじめ、自分たちの数々の成果や実験結果を理論的に説明します。

ルィセンコは、温度などの発育環境に応じて生物個体は変化し、その変化が子孫に伝わると主張しました。つまり必要に応じて生物種が変化（進化）するというのです。遠い昔に捨て去られたダーウィン以前の古い進化論の焼き直しです。

何をいっているのかよく理解できないかもしれませんが、それはルィセンコ学説そのものが非論理的で事実に即していないためです。

▼遺伝物質の観念は神秘的である。突然変異の概念は唯心論的不可知概念である

農業技術のほとんど実用にならないいくつかの提案と、進化や遺伝についての独特で時代遅れの思い込みに加え、ルィセンコ学説の主要な柱の一つを成すのが、遺伝学に対する憎悪です。ルィセンコと、生物学に関する弁証法の専門家を自任するプレゼントは、科学論争では勝ち目のない遺伝学を政治理論の言葉を使って執拗《しつよう》に攻撃しました。(「生物学に関する弁証法の専門家」とは、要するにそういうことができる人を意味します。)

「遺伝学はこの神秘的な遺伝物質の観念を完全に受け入れ、かつ強化さえしている〈注8〉」とルィセンコは演説しました。「神秘的」は褒め言葉として使われることもありますが、マルクス主義のレトリックでは侮辱の表現で、オカルトとほぼ同義です。

「突然変異、すなわち遺伝物質の変化は、生体およびその生活条件と無関係であり、一定の方向を持たず、原則的に予言しえないものと考えられているが、これは唯心論的不可知概念であり、変異性の不確定性に関する主張は科学的予測にとって道を閉ざすものであり、それによって農業の実際を武装解除するものである」

たいそう威勢がいいですが、これは遺伝学のいう突然変異の概念をこき下ろしたとこ

ろです。突然変異が不確定で予測できないという遺伝学の見方は「唯心論的」で、つまり唯物論を前提とするマルクス主義に反しているというのです。（どう見てもいいがかりです。）

「ルィセンコたちはただ一つ真のマルクス・レーニン主義的発展理論を手引きとして」いるのに対し、「ブルジョア的実験遺伝学」は「弁証法的認識論から遠くへはぐれてしまった〈注9〉」

「ブルジョア」とは辞書を引くと「資本家」「資本家階級」とありますが、マルクス主義者の論争では誰も彼も相手をブルジョア的と呼んで非難するので、本来の意味は薄れ、単なる悪罵《あくば》の表現と化しています。ルィセンコはあまりに「ブルジョア的」を連呼したので、しまいにスターリンすらあきれてルィセンコの演説草稿からその単語を削ったことが、資料から明らかになっています〈注2に同じ〉。

科学の論争ならば、こうしたほとんど事実無根の中傷に説得力はなく、遺伝学とその研究者が負けることはなかったでしょう。しかし当時のソ連では、どちらが科学的に正しいかは、しばしば政治的に判定されました。

ルィセンコ、農業アカデミー総裁に

1938年まで続いた大粛清に乗じて、ルィセンコ派は力を伸ばします。誰も無事ではいられない大粛清の中で、ルィセンコ派も被害が出たのですが、遺伝学の受けた傷はより深刻でした。ソ連共産党中央委員会農業部、科学部で粛清が行なわれた結果、遺伝学はその政治的支援システムが破壊され、多くの遺伝学者が逮捕・処刑されただけでなく、遺伝学という分野そのものの存立が危機に陥りました〈注2に同じ〉。

遺伝学者のイズライリ・イオシフォヴィッチ・アゴール（1891〜1937）とソロモン・グリゴエヴィッチ・レヴィート（1894〜1938）は逮捕され、「人民の敵」として銃殺されました。アゴールとレヴィートは、マラーの研究室がテキサス大にあったとき、そこで遺伝学を学んだ仲間でした〈注10〉。この外国の滞在経験が粛清の口実となったのかもしれません。マラーの友人や弟子が次々粛清され、マラーはソ連での研究と指導を断念して1937年に国外に逃れて最終的にはアメリカに帰国します。

農業科学アカデミー総裁アレクサンドル・イヴァノヴィッチ・ムラロフ（1886〜1938）は逮捕されて銃殺となり、後任のゲオルギー・カルロヴィッチ・メイステル

（１８７３〜１９３８）も間もなく逮捕され、そしてルィセンコが１９３８年2月に農業科学アカデミー総裁に就任します。ソ連の農業科学はルィセンコ派の支配するところとなりました。

遺伝学研究所を乗っ取る

大粛清が終わっても、ルィセンコ派の遺伝学への攻撃はやみませんでした。このあと１９６５年頃までルィセンコは権力をふるい、ルィセンコ学説はソ連生物学の主要な成果と見なされることになります。

約30年の間には社会情勢にも様々な変化があり、ルィセンコ失脚の可能性が高まったことも何回かあるのですが、そのたびにルィセンコは反撃し、かえって権力を強化することに成功しました。

そういう転換点の一つ、１９３９年10月に行なわれた『遺伝学の諸問題に関する討論会』では、全ソ植物栽培研究所所長兼遺伝学研究所所長ニコライ・イヴァノヴィッチ・ヴァヴィロフ（１８８７〜１９４３）たち遺伝学者とルィセンコたちが対決しました。

ヴァヴィロフはルィセンコと同じく農学から研究を始め、農業科学アカデミーを創立して長年その総裁を務め、ルィセンコと違って世界的に尊敬を集めていました。ルィセンコ派の激しい遺伝学攻撃の中で反ルィセンコのリーダー的存在となり、つまりあらゆる点でルィセンコの癪《しゃく》の種、宿敵として憎まれていました。

ヴァヴィロフとルィセンコの討論の内容は、前節で述べたこととほぼ重なります。どちらも自分たちの学説が学問的にも政治理論上も正統であると主張しました。学問的にどちらが正しいかは研究者の目には明らかですが、ソ連共産党中央委員会に選ばれた判定者は違う判断を下しました。

討論会の最終日、判定役の哲学者マルク・ボリソヴィッチ・ミーチン（1901〜1987）は、ルィセンコの業績は「生物学の中に弁証法的唯物論の方法が浸透したことによる」と褒《ほ》め讃《たた》えました〈注2に同じ〉。マルクス主義のレトリックに馴染《なじ》みがないと、ちっとも褒め讃えているように聞こえないかもしれませんが、これは賛辞です。一方、ヴァヴィロフが代表する遺伝学については、「世界的権威の前に拝跪《はいき》する精神」であると指摘しました。アメリカ人の発見した染色体地図なんかありがたがっていてけしからん、というわけです。

ミーチンの判定は新聞『プラウダ』や雑誌に掲載され、またこれに基づいてソ連共産党政治局に報告が行なわれました。ルィセンコ学説がソ連社会で正統の地位についたのです。

翌1940年8月6日、ヴァヴィロフは内務人民委員部に逮捕され、反ソ活動の罪で死刑判決を受けます。のちに10年の刑に減刑されますが、刑務所の過酷な環境で栄養失調にかかり、1943年1月26日に急性肺炎で死亡します。

ヴァヴィロフの粛清後、遺伝学研究所の所長の地位はルィセンコが襲いました。ルィセンコはヴァヴィロフ時代の研究員を解雇し、遺伝学研究所乗っ取りを完成させます〈注11〉。

アカデミー総会へのスターリンの介入

第二次世界大戦が終わると、再びルィセンコ追い落としの機運が高まりました。雑誌にルィセンコ批判が掲載され、大学内の論争でルィセンコ派は守勢に立たされ、欧米の遺伝学者が反ルィセンコ・キャンペーンを行ない、ついでにマラーがX線照射による突然変異の発生の発見で1946年のノーベル賞を受賞しました。(ルィセンコ派と、それからマラーを共産主義者として危険人物扱いしていたアメリカ政府の両方にとって、苦々しいニュースだったでしょう。）

しかし1948年7月31日から8月7日まで開催された農業科学アカデミー総会で、ルィセンコは反対派を粉砕します。ルィセンコにはソ連最高指導者スターリンの強力な支持がついていました。スターリンは、ルィセンコの演説原稿を手直しするなど、この総会に細かいところまで介入しました。

総会冒頭のルィセンコの報告から猛烈な攻勢が始まりました。ルィセンコ賛美の発言が反対意見を圧倒し、総会は「反対者を一方的に政治的に吊《つる》し上げる集会〈注1に同じ〉」と化しました。ルィセンコの演説や、政治指導者のルィセンコ支持表明が、会期中に連日新聞に掲載されました。

最終日、ルィセンコは結論の演説をしました。「党中央委員会は私の報告書を検討し、それを是認した」という勝利宣言に、討論の参加者は起立し嵐のような拍手・喝采を送りました。（スターリン時代の議事録には「5分以上続く拍手」「鳴りやまない拍手」など、やたらに長い拍手が出てきます。拍手を最初に止めると忠誠心を疑われる恐れがあるため、やめられないのです。）

演説のあと、反ルィセンコ派の出席者は次々に発言を撤回し、ルィセンコ学説の支持を表明しました。会議の結論として、「スターリンに栄光あれ！」と結ばれたメッセージと、ルィセンコの報告が、「嵐のような拍手」と「満場一致」で賛同されました。

この歴史的な「八月総会」の後、生物学において遺伝学の追放とルィセンコ学説の徹底が進められました。生物学の教科書が廃棄されてルィセンコ学説の本に代わり、生物学者が大学や研究機関から罷免《ひめん》され、空いたポストはルィセンコ派が分配しました。

八月総会は欧米社会にも衝撃を与えました。自然科学者のうちそれまでソ連にシンパシーを感じていた者もスターリン主義に不安を感じ、マルクス主義を否定する議論には論拠にルィセンコ学説が持ち出されるようになりました。（しかしどういうわけか日本では、欧米でルィセンコの所業が知れ渡った1950年代になって、ルィセンコ主義を支持する運動が起こりました〈注12〉。）

驕《おご》れる者久しからず

長年にわたって科学を傷つけ研究者を苦しめてきたルィセンコ支配にも、やがて終わりが訪れます。スターリンの死後、最高指導者ニキータ・セルゲーエヴィッチ・フルシチョフ（1894～1971）の支持をとりつけることに成功したルィセンコですが、そのフルシチョフが1964年10月14日に失脚すると、とうとう政治の後《うし》ろ楯《だて》を失います。生物学のみならず、いまやあらゆる科学分野の怨嗟《えんさ》と呪詛《じゅそ》の的となっていたルィセンコは、速やかに失脚コースをたどります。

フルシチョフ失脚の1週間後には早くもルィセンコ批判の記事が新聞に載り、そういう記事はどんどん増えました。特に、当時ルィセンコはその新しい成果として、乳牛の(間違った)交配方法を宣伝していましたが、牛乳生産量を水増し宣伝していることが指摘されました。

1965年1月、ルィセンコの遺伝学研究所に科学アカデミーとソ連農業省による監査が入り、牛乳生産量の改竄《かいざん》が報告されました〈注1に同じ〉。ルィセンコの捏造がついに公式に認められたことになります。

1965年2月5日、ルィセンコは遺伝学研究所の所長を罷免されました。ルィセンコ支配の終焉《しゅうえん》です。

スターリン時代と違って、ルィセンコは失脚しても、逮捕も投獄も銃殺もされませんでした。ルィセンコは引退生活を送り、1976年11月20日に死にます。

ＤＮＡが発見されたのは１９５３年、その功績にノーベル生理学・医学賞が与えられたのは１９６２年のことです。もうソ連の生物学が世界からすっかり取り残されたことは、（フルシチョフを除く）すべての人に明らかでした。ルィセンコ失脚の翌年には新しい教科書で生物学の授業が開始されます。

約20年にわたってソ連の教育現場にはルィセンコ学説に基づく教科書が押しつけられ、学生は正しい知識を得る機会を奪われました。ルィセンコ以来、現在にいたるまで、ソ連（ロシア）からはノーベル生理学・医学賞の受賞者は出ていません。ルィセンコ学説はソ連の生物学を滅ぼしたのです。

まとめと評価——悪意に満ちた論文

- 発表から撤回まで……公式には撤回されず。1965年に公式報告
- ストーリーの科学的インパクト……弱い
- 捏造の巧妙さ……当初から指摘
- 社会的影響……大災厄級
- 総合……☆

ルィセンコは最後まで誤りを認めませんでした。無数の論文も撤回されていません。捏造（の一部）が監査によって公式に報告されたのは１９６５年です。

ルィセンコ学説のうち、生物学理論と解釈できる部分は、古い進化論の焼き直しで、生物学研究者を驚かすようなインパクトはありませんでした。

ルィセンコ学説の農業技術の部分には、実験結果の誇張や都合の悪いデータを隠すなど、改竄・捏造が含まれていて、それは当初から指摘されていました。

この事件の社会的影響は大災厄とでもいうべきすさまじい規模です。無数の被害者のうち、ほんのわずかしか本書では触れることができませんでした。

総合ですが、星1個としておきます。捏造された科学ストーリーが貧弱なため、（政治理論的にはともかく）科学的な面白さに欠けます。

捏造者たちの軌跡を追っていると、彼ら彼女らの論文に込められた願望、大発見を成し遂げたいという野心に、ある種の共感を覚えることがあります。捏造はしてはならない行為ですが、それを行なったのは誘惑に弱い人間であり、そこにある種の人間性が感じられます。捏造論文からはそういう「夢」が読み取れるのです。

けれどもこのルィセンコとその一派には、そういう共感を抱くことが困難です。似非《えせ》科学を正しいといい張り、誠実な研究を憎んで罵《のの》り、同僚研究者を密告し破滅に追いやった小スターリンたちの所業は非人間的です。ルィセンコ学説の論文は支離滅裂で、悪意に満ちています。

ルィセンコ学説は、研究者だけでなく、世界に恐ろしい教訓を残しました。

教訓 学説の正誤を政治的に決めては絶対にいけない。学問と社会に大惨事をもたらす。

〈注1〉ジョレス・メドヴェジェフ、金光不二夫訳、1971、『ルイセンコ学説の興亡』、河出書房新社。

〈注2〉藤岡毅、2010、『ルィセンコ主義はなぜ出現したか』、学術出版会。

〈注3〉キーロフ暗殺は謎が多い事件ですが、レオニード・ニコラエフという一党員の単独犯行という説が現在では主流です。少なくとも、陰謀に携わったとして処刑されたグリゴリー・ジノーヴィエフ、レフ・カーメネフらが無実であったことは確定しています。政敵を罠《わな》にかけるためスターリン自身がキーロフ暗殺をしくんだという見方は根強いですが、情報公開で明らかになった資料の中には、この説を裏づける証拠は出てきていません。

〈注４〉アーチ・ゲッティ編、オレグ・Ｖ・ナウーモフ編、川上洸訳、萩原直訳、２００１、『ソ連極秘資料集 大粛清への道』、大月書店。

〈注５〉ルイセンコ、１９３６、『ヤロヴィザーツィアの理論的基礎 第二版』（北垣信行編著、大竹博吉編著、１９５０、『農業生物學』、ナウカ社所収）。現代仮名づかいに改めて引用。

〈注６〉T. D. Lysenko, translated by Theodosius Dobzhansky, 1945, "Heredity and its variability," King's Crown Press.

〈注７〉ルイセンコ、１９４１、『有機體と環境』（北垣信行編著、大竹博吉編著、１９５０、『農業生物學』、ナウカ社所収）。現代仮名づかいに改めて引用。

〈注８〉高梨洋一、１９４９、『ソ連におけるルィセンコ論争の發展』（ネオメンデル會編、１９４９、『改訂ルィセンコ學説』、北隆館所収）。現代仮名づかいに改めて引用。

〈注９〉テ・デ・ルイセンコ、イ・イ・プレゼント、１９３５、『育種と植物の段階発育論』（北垣信行編著、大竹博吉編著、１９５０、『農業生物學』、ナウカ社所収）。現代仮名づかいに改めて引用。

〈注10〉Elof Axel Carlson, 2009, "Hermann Joseph Muller 1890-1967," National Academy of Sciences.
イズライリ・アゴール（Izrail Agol）を Isador Agol と誤記しているので注意。

〈注11〉藤岡毅、２００３、『遺伝学研究所はなぜ乗っ取られたか？』（市川浩編、２００３、『〝科学の参謀本部〟―ロシア／ソ連邦／ロシア科学アカデミーの総合的研究―論集 Vol. 3』所収）。

〈注12〉中村禎里、１９９７、『日本のルィセンコ論争』、みすず書房。

第8章

皮膚移植

サマーリンのぶちネズミ

他人の皮膚を重度の火傷《やけど》患者のために用いる移植手術は難易度が高く、医学の長年の夢です。１９７０年代、米国スローン・ケタリング研究所のウィリアム・サマーリン医師は、常識に反して、マウスの皮膚移植手術が自由自在にできるようになったと主張します。サマーリン医師は証拠として、白地に黒いぶちのあるマウスを見せます。けれども同僚がその黒い皮膚をこすってみると、なんと色が落ちるではありませんか。

簡単な方法で皮膚移植が実現？

誰でも家庭内の事故で火傷した経験があるでしょう。家庭の内や外で、重症の火傷患者は毎日毎夜発生しています。そして体に広範囲の火傷を負うと生存率は高くありません。助かっても、後遺症が患者を苦しめます。

もし他人の皮膚や動物の皮膚を移植することができれば、多くの患者を救うことができるでしょう。これは医学の長年の課題の一つです。

しかし皮膚移植は移植技術の中でも最も難しい部類に属します。他人に移植された皮膚は、たいていの場合、しばらくたつと変色して縮み、やがて剝《は》がれてしまいます。これは免疫機能が他人の皮膚を攻撃するからだと考えられます。成功する可能性が高いのは、皮膚のやりとりが一卵性双生児のあいだで行なわれる場合など、免疫が障害にならない特殊な例です。

ところが1970年代、米国ミネソタ大のウィリアム・タリー・サマーリン（1938〜）医師は、こういう医学常識に反して、ヒトの皮膚移植を可能にする方法を発見したと発表します〈注1〉。その方法とは、移植に先立って、皮膚片を培養液に数日から数週間つけ込むだけだというのです。すると皮膚片に変化が生じて他人に移植できるようになると、サマーリン医師は主張しました。驚いたことに、皮膚の提供者と受容者の性別や血液型が違っても大丈夫といいます。

これほど簡単な方法で医学の長年の夢だった皮膚移植が実現できるとは、まさしくびっくり仰天です。これまで誰も聞いたことのない、あまりに意外かつ大胆な手法です。（酸性の液につけるだけで体細胞が万能細胞に変化するという大発見を連想させます。）

誰にも信じてもらえない

1972年の秋、サマーリン医師の上司であるロバート・アラン・グッド（1922〜2003）医師はスローン・ケタリング研究所の所長になり、グッド所長に連れられてサマーリン医師ほか約50人がこの研究所に移ります。スローン・ケタリング研究所は米国で指折りのがんセンターであるスローン・ケタリング記念がんセンターに属しています。

この引っ越しのあたりからサマーリン医師の主張はエスカレートします。移植組織を培養液につける手法は、皮膚ばかりでなく角膜などにも応用でき、他人どころか異なる生物種間でも移植ができるといい出します〈注2〉。つまりヒトの角膜をウサギに移植することができるというのです。それが本当なら、サマーリン医師の発見で移植手術の概念はすっかり変わってしまいます。

サマーリン医師は証拠としてウサギを見せてまわりました〈注3〉。そのウサギの眼にはなんとヒトの角膜が移植してあるというのです。

そのウサギは片眼に無残な移植失敗の傷跡があり、もう片方は無傷でした。サマーリン医師の説明によれば、失敗したほうは通常の移植手術を施したもので、もう片方は培養液を用いた成功例だといいます。

英国国立医学研究所のピーター・メダワー（1915〜1987）所長はこのウサギを実際に見て、ウサギの正常なほうの眼にはまったく手術の痕跡《こんせき》が見当たらなかったと記しています〈注4〉。これは痕跡が残らないほど完璧《かんぺき》な手術だったか、あるいは手術がそもそも行なわれなかったかのどちらかということです。

けれども本書で紹介する多くの捏造「成功」例と違って、サマーリン医師の主張はほとんど信じてもらえませんでした。メダワー所長はそんな移植手術は信じられないと、しごくまっとうな意見をいって、サマーリン医師と真っ向から議論しました。

サマーリン医師の専門は皮膚科で、ウサギの角膜手術は共同研究者の眼科医が行なっていました。この眼科医はメダワー所長たちに真実を話してしまいました。ウサギの手術は片眼だけに行なわれて、それにはサマーリンの培養法が使われていました。つまりサマーリン医師の培養法を信じた共同研究者によって、気の毒なウサギはヒトの角膜を移植され、案の定それは失敗して剝離《はくり》してしまったのです。

サマーリン医師の培養法は誰も追試に成功しませんでした。サマーリン医師の評判は下がり、研究室内での人望も失われ、同僚や部下や学生もサマーリン医師を冷ややかな目で見るようになりました。

そして1974年3月26日、追い詰められたサマーリン医師はある事件を引き起こします。

黒いぶちの正体

その日、サマーリン医師はグッド所長と面談することになっていました。面談は朝7時という早い時間に設定されていて、サマーリン医師は前夜から研究室に泊まり込んでいました〈注5〉。（グッド所長の住居は所長オフィスと同じ建物にあったので、朝7時の打ち合わせも苦になりませんが、つきあわされる部下はたまりません。）

面談の直前、サマーリン医師はグッド所長に見せるため、白マウスを2匹ケージから取り出しました。白マウスは黒マウスの皮膚を移植ずみでした。そしてサマーリン医師は、黒のフェルトペンを取り出して、皮膚移植を受けた場所を黒く塗りました。

あとになってサマーリン医師は調査委員会に、この行為の理由を自分でも説明できないと述べました〈注3に同じ〉。

面談は約45分間続き、皮膚培養法の論文投稿を取り下げるかどうか議論されましたが、グッド所長はマウスにほとんど注意を払わず、おかしな点があるとは気づきませんでした。

面談後、サマーリン医師は研究助手のジェームズ・マーティンにマウスを渡しました。
マーティン助手はマウスをケージに戻そうとして、黒いぶちに気づきました。そしてそれをアルコールを染み込ませた綿で拭《ふ》いてみて、色が落ちるのに愕然《がくぜん》としました。

マーティン助手はこの発見を同僚のウィリアム・ウォルター技術官に教え、ウォルター技術官はジェフリー・オネイル客員研究員に報告し、オネイル研究員はポスドクのジョン・ラーフ博士に話し、ラーフ博士はグッド所長に告げました。（誰もサマーリン医師に確かめようとは思いませんでした。）

グッド所長はサマーリン医師を呼び出して事実を確認すると、その場で2週間の勤務停止をいい渡しました。

1974年4月5日、グッド所長の要請で調査委員会が組織され、1974年5月17日に報告をまとめました〈注3に同じ〉。

調査委員会が調べたマウスのうち、個体間の皮膚移植の成功例は1件しか見つかりませんでした。そしてその成功例は、遺伝的に似ているマウス間の移植で、「培養法によって個体間の皮膚移植や異種族間の皮膚移植が可能になった」ことは裏づけられませんでした。

皮膚移植を施したはずのマウスはほとんど残っていませんでした。リンパ液を採取するために使われてしまったとサマーリン医師は説明しましたが、リンパ液の採取はマウスを殺さなくても可能です。

サマーリン医師による論文や会議や雑誌記者への宣伝と裏腹に、ウサギへのヒトの角膜移植はすべて失敗でした。サマーリン医師は調査委員会に、成功したと誤解していたのだと、苦しいいいわけをしました。


サマーリン医師は他人の皮膚を患者に移植する手術も行なっていました。（現在ならこのような実験的治療には研究機関の倫理委員会の承認が必要です。）この手術は失敗例も成功例も含まれるようで、捏造《ねつぞう》とはいいきれないと調査報告書にあります。

それから調査報告書は、サマーリン医師個人の資質について述べています。日頃の行動が行き当たりばったりで支離滅裂で、他人に迷惑をかけ、約束を守らず、指導すべき後輩の面倒を見ない、とひどい書きようです。研究所はサマーリン医師と関係を絶つべきだと勧めています。よくサマーリン医師に訴えられなかったものです。

知的なはずの医学研究者が？

この捏造自体は、社会に大した悪影響があったとも思えないのですが、意外に大きく報じられました。大評判になったといっていいほどです。舞台がスローン・ケタリング研究所という権威ある研究機関であること、この研究が巨額の研究費を受けていたことが、スキャンダルとなる条件を満たしていたのでしょう。調査委員会の勧告がトカゲの尻尾《しっぽ》切りに読めることも問題を大きくしたかもしれません。

そしてそれに加えて、知的で権威あるはずの医学研究者が、ペンでマウスにぶちを描き入れて誤魔化《ごまか》そうとしたことが、人々にたまらなく可笑《おか》しく感じられたようです。

事件はメディアに大きく取り上げられ、『つぎはぎネズミ〈注5に同じ〉』という本にもなりました。

この一件は、皮膚移植手術を捏造するためにマウスにぶちを描き入れた事件だと誤解している人がいるようですが、そうではありません。すでに移植手術の施してあるマウスにぶちを描いたわけですから、サマーリン医師の行為はもっと不可解です。サマーリン医師が自分でも説明できないといっているとおりです〈注6〉。

サマーリン医師と直接関《かか》わったメダワー所長は、のちに、『ぶちのあるネズミの奇妙な症例〈注4に同じ〉』というエッセイでこの事件を取り上げています。このエッセイ中でメダワー所長は、マウスの皮膚移植に成功したことがサマーリン医師を培養法にのめり込ませたのではないかという仮説を披露しています。

調査委員会が唯一確認した、皮膚移植に成功したマウスは、皮膚提供マウスと遺伝的に似通っている個体でした。もしもその素姓をサマーリン医師が知らずに皮膚移植実験に使ったとすると、サマーリン医師は自分の培養法によって移植が成功したのだと思い込んだのかもしれない、そのためにサマーリン医師は自分の方法に確信を持ち固執したのではないか、というのがメダワー所長の憶測です。

このシナリオは可能性としてないわけではないですが、筆者は強い説得力を感じません。

本書におさめた捏造事件を眺めると、まったく突拍子もない説や実験結果をなんの根拠もなく堂々と発表する捏造者が大勢並んでいます。彼ら彼女らが実験結果を捏造するのに、合理的な理由は必要ないのです。

捏造研究者たちのそういう性質を考えると、サマーリン医師は培養法で皮膚移植が可能だと根拠なく考えたとしてもおかしくありません。

メダワー所長が想像するよりも人間は不可解なのです。

まとめと評価――捏造発覚までの最短記録

● 発表から撤回まで……公式には撤回されず。調査報告まで1年2ヶ月

● ストーリーの科学的インパクト……ノーベル賞級

● 捏造の巧妙さ……発覚まで2時間

● 社会的影響……流行語大賞級

● 総合……☆☆☆

サマーリン医師の論文は公式には撤回されていません。1973年3月に発表の『器官培養された角膜：試験管培養の研究〈注2に同じ〉』から、調査委員会の報告書が出される1974年5月までは1年2ヶ月です。

他人や動物の皮膚の移植が可能になって、大勢の火傷患者が救われれば、ノーベル賞

級の発見だったでしょう。（ただし現在では、患者自身の健全な皮膚を培養したものや、組織提供者の皮膚を移植する医療が行なわれています。）

サマーリン医師がぶちを描き入れてから、それが助手に見つかるまで、2時間です。これは捏造発覚までの最短記録でしょう。

この事件は大変評判になりました。「サマーリンのぶちネズミ」は流行語にまでなりました〈注5に同じ〉。

総合ですが、サマーリン医師は捏造者としては小者ですが、その大胆かつ大雑把な手口がかえって笑わせてくれるため、星を増やして3個としておきます。

教訓 知的なはずの研究者が、驚くほど粗雑で稚拙な捏造をすることがある。

〈注1〉 W. T. Summerlin, 1973, “Allogeneic transplantation of organ cultures of adult human skin,” Clin. Immunol. Imunopath., vol. 1, p372.

〈注2〉 William T. Summerlin, George E. Miller, John E. Harris, Robert A. Good, 1973, “The organ-cultured cornea : An in

vitro study," Invest. Ophthalmol., vol. 12, p176.
〈注3〉Summerlin Peer Review Committee, 1974/05/17, "Report of Summerlin peer review committee," Memorial Sloan-Kettering Cancer Center.
〈注4〉Peter Medawar, 1996, "The strange case of the spotted mice and other classic essays on science," Oxford University Press.
〈注5〉Joseph Hixson, 1976, "The patchwork mouse," Doubleday.
〈注6〉William T. Summerlin, 1974/05/28, "Statement by William T. Summerlin, M. D. regarding the Sloan-Kettering affair."

第9章

旧石器遺跡

暴かれた「神の手」の正体

20世紀末、日本の考古学研究は藤村新一《ふじむらしんいち》氏というアマチュア考古学者の「神の手」に導かれていました。なにしろ藤村氏の「神の手」の掘るところ、次から次へと石器が転がり出すのです。「神の手」は学説を塗り替え常識を引っくり返し、とうとう何十万年も昔の地層から石器を掘り出しました。世界最古の原人文化が日本にあったことになります。しかし2000年10月22日、毎日新聞取材班の隠しカメラが、藤村氏が石器を埋めている瞬間をとらえました。氏の発見は、あらかじめ埋めた石器を掘り出すことでなされていたのです。

隠しカメラがとらえた瞬間

2000年10月20日、宮城県築館町《つきだてちょう》の上高森《かみたかもり》遺跡（2001年登録抹消）の発掘現場に、NPO法人東北旧石器文化研究所の藤村新一（1950〜）副理事長が到着すると、調査団は盛り上がりました。藤村副理事長はこれまで膨大な遺跡を発掘し、考古学の通説をくつがえす重要な発見を連発してきた「石器発見の名人〈注1〉」「石器掘りの神様〈注2〉」「ゴッドハンド（神の手）〈注3〉」なのです。藤村副理事長を調査団長とするこの第六次発掘調査も、もう成功が決まったようなものです。

上高森遺跡は、藤村氏が約40万年前の地層から石器を発掘した1993年11月以来、日本で最重要の遺跡とされていました。約40万年前には私たちホモ・サピエンスはまだ存在していなかったので、「原人」に分類される数種の生物のいずれかがその石器を作ったということになります。

上高森遺跡の驚くべき特徴は、藤村副理事長が調査すると、どんどん古い地層から石器や遺構が出てきて記録が更新されることです。1994年10月に藤村副理事長は約50万年前の地層から火で焼けた石器を掘り出し、人類による火の使用の開始を約40万年も早めました〈注4〉。1995年には約60万年前の地層から「石器埋納遺構」を発掘しました。石器埋納遺構は、原人が穴を掘って底に石器を並べたもので、世界で藤村副理事長だけが発見できます。1998年11月には60万年以上前の地層から石器埋納遺構を見つけて自己記録を更新し、1999年11月には70万年前の地層よりさらに深いところから石器を掘り出しました。

今回はどんな成果が掘り出されるでしょうか。本格的な発掘作業は10月22日から27日までの6日間でしたが、最終日には記者会見が予定され、藤村副理事長が何かを掘り出すことは確実視されていました。

しかしこのとき、上高森の藪《やぶ》に隠れて、密《ひそ》かに藤村副理事長を見張る別のグループがいました。ここ数週間、藤村副理事長を追跡している毎日新聞旧石器遺跡取材班です。取材班は発掘現場近くにビデオカメラを設置しカメラを抱えて潜《ひそ》み、藤村副理事長が怪しい動きをするのを早朝から待ち受けました。それまで北海道新十津川町《しんとつかわちょう》総進不動坂《そうしんふどうざか》遺跡と埼玉県秩父《ちちぶ》市小鹿坂《おがさか》遺跡（２００１年登録抹消）の発掘現場では、決定的瞬間を撮るのに失敗していたので、取材班にとってこれが正念場でした。

上高森遺跡第六次発掘調査はやはり成功でした。石器埋納遺構が発掘初日から発見され、さらに最終日10月27日には、外国人研究者や報道陣が見守る中で、藤村副理事長は新たな石器埋納遺構を掘り当てます。

石器が顔を出し、見ていた人たちから「おぉ」と歓声が漏れ、東北旧石器文化研究所の鎌田俊昭《かまたとしあき》（１９４６〜）理事長が「ええっ、出たの」と駆け寄ります〈注５〉。

藤村副理事長のゴッドハンドは、今回もここぞというところで、石器を手品のように出して見せたのです。

しかしその様子を見守る毎日新聞旧石器遺跡取材班は、まったく違う興奮と達成感に包まれていました。藤村副理事長の発掘の真相を撮影することに成功したのです。

そのあと紙面展開を準備し記事原稿を書いた取材班は、スクープの最後の仕上げとして、11月4日の夜に藤村副理事長をホテルの一室に呼んで取材しました。

独自の「遺跡発見学」について上機嫌で喋《しゃべ》る副理事長に、取材班は、

「藤村さんに見ていただきたい映像があります」

と切り出し、10月22日午前6時30分に発掘現場で撮影したビデオを映します。

ビデオには藤村副理事長がこっそり石器を埋める様子が鮮明にとらえられていました。

これがゴッドハンドの正体でした。


翌日2000年11月5日、「旧石器発掘ねつ造」の大見出しが毎日新聞の一面に載りました〈注6〉。

「調査団長の藤村氏」

「自ら埋める」

「『魔がさした』認める」

日本を揺るがした大スクープです。

日本に前期旧石器時代はあったのか

藤村氏の「名人芸」「神業」の始まりは1974年までさかのぼります。

当時、考古学ファンだった藤村氏は見つけた数百の石器を、宮城県多賀城跡《たがじょうあと》調査研究所の鎌田氏に持ち込みました。興味を持った鎌田氏は藤村氏に発掘現場へ案内してもらい、そこを掘ってみると旧石器が出てきました。二人は「互いに手を取り合って〈注7〉」喜びあいました。この1974年4月29日、宮城県大崎市座散乱木《ざざらぎ》遺跡の発掘が記録に残る最初の「神業」と指摘されています〈注8〉。

1975年4月、鎌田氏と東北大学文学部の岡村道雄《おかむらみちお》（1948〜）助手などが石器文化談話会を組織します。専門家や市民など約30名のメンバーに「石器掘りの名人」藤村氏も入っていました。談話会の実質的な活動は、藤村氏が発見した「遺跡」に案内され、「石器」の出土状況を記録することだったと、のちに岡村氏が『旧石器遺跡捏造事件〈注4に同じ〉』に記しています。

その頃、岡村助手は、3万年以上昔の石器を発見して、日本列島に前期旧石器時代があったことを証明したいと考えていました。

前期旧石器時代とは何でしょうか。この事件を理解するのに必要な最小限の知識をおさらいしましょう。

私たちは学名をホモ・サピエンスという生物種ですが、ホモ・サピエンスは10万～20万年ほど前にアフリカで発生して、「旧石器」を使いながら世界に広まったと考えられています。日本列島では約3万年前の（捏造でない）旧石器が見つかっているので、日本列島に到着したのはその頃だと推定されていますが、異論もあります。

ホモ・サピエンスは技術開発を進め、割って作る旧石器から磨いて作る新石器へ、焼いて作る土器へ、融かして作る青銅器へ、さらに高温で作る鉄器へと道具を発達させていきます。ホモ・サピエンスが旧石器を作っていた時代を「後期旧石器時代」といいます。

人類あるいはヒト属あるいはホモに分類される生物種は、現在では私たちホモ・サピエンスだけですが、かつてはホモ・ネアンデルターレンシス、ホモ・エレクトスなど何種類か存在し、世界中に分布していました。今それがどこにもいないのは、ホモ・サピエンスとの生存競争に敗れたから、つまり私たちが絶滅させたからでしょう。

ホモ・ネアンデルターレンシスやホモ・エレクトスやそれ以外の人類は、旧石器など道具を使用していたという証拠があります。もしもある地域にホモ・ネアンデルターレンシスやホモ・エレクトスが住み、旧石器を使用していた形跡があるならば、その地域のその時代は「前期旧石器時代」と呼ばれます。(「中期旧石器時代」あるいは「先土器時代」を用いる分類もあります。)

さて日本列島にはそういう前期旧石器時代が存在したでしょうか。日本列島のどこかにホモ・ネアンデルターレンシスの作った旧石器が埋まっているのでしょうか。

当時(現在も)、この「前期旧石器(存否)論争」は決着がついていませんでした。岡村助手の研究室の芹沢長介《せりざわちょうすけ》(1919~2006)教授は存在派の筆頭で、自ら発掘した前期旧石器を根拠に、日本列島に前期旧石器時代があったという説を唱えていました。しかし芹沢教授の旧石器は自然石の鑑定ミスではないか、埋まっていた地層が新しいのではないかという反論もありました。

岡村助手は1978年に宮城県立東北歴史資料館の研究員になりますが、師の教えを受け継ぎ、前期旧石器時代の証拠を探していました。例えば座散乱木遺跡の3万年以上前の地層から旧石器を発見すれば、前期旧石器論争は決着がつきます。

そして１９８０年４月26日、岡村研究員に「最高の瞬間〈注４に同じ〉」が訪れます。座散乱木遺跡で３万年以上前の地層から旧石器を発掘したのです。

「座散乱木の切り通しの前に、藤村新一氏や私たちは横一直線に並び、地層断面を一生懸命に削った。私の移植ゴテにも石器が当たった。『カチッ』という手ごたえがあった。まちがいなく卒業論文以来、長年夢にまで見た『旧人』の石器だ。日本にも四万年前にさかのぼる中期旧石器時代に、確実に人類が生活していたのだ。その瞬間、あまりの感激に、体の中を電気が走り、あたりが暗くなるような眩暈《めまい》を私は覚えた〈注１に同じ〉」

１９８３年４月、岡村研究員は「前期旧石器存否論争はここ結着《ママ》にした」と宣言します〈注４に同じ〉。

こうして名人藤村氏によって、日本列島の前期旧石器時代の存在が異論の余地なく証明されました。成果はマスコミにも報道されました。

しかし岡村研究員の「最高の瞬間」は、20年後に無残に否定されることになります。

超能力者のごとき扱い

毎日新聞によるスクープの直前の２０００年10月、当時文化庁の岡村主任文化財調査官は、著書『縄文の生活誌〈注1に同じ〉』を出版し、その中で「石器発見の名人」藤村氏を紹介しています。（岡村研究員は1987年に東北歴史資料館から文化庁に「栄転」していました。）

「みんなで石器探しに出かけても第一発見者はほとんど彼であった」

「馬場壇A遺跡など宮城県内の重要遺跡、関東地方で初の中期旧石器文化が確認された多摩ニュータウン№.471—B遺跡、山形・福島県あるいは北海道石狩川中流域の総進不動坂遺跡での前期・中期旧石器時代遺跡の発掘調査は、すべてといっていいほど彼の発見を契機としている。彼が遺跡を探し求めて歩きまわる範囲がそのまま、前期・中期旧石器文化が確認された範囲と同じであるのも、彼の業績のすごさを証明している」

褒めちぎっています。

「私たちが発掘調査区を設定して掘り進め、……ようやく目当ての石器が出土しそうな層位《そうい》に到達しても、なかなか石器は発見されない。疲労がたまった頃、待ちに待った休日を迎えた彼が、やおら現れて黙々と掘り始める。すると発掘現場に緊張感が走り、やがて発見の勝ち鬨《かどき》が上がってあたりが途端に活気づく」

どうも発掘関係者は藤村氏に頼りきりです。

「彼は私に、自分は眼に疾患があると打ち明けたことがあるが、私たちには同じような褐色にしか見えない地層だが、ひょっとすると彼にはその微妙な色の違いが見えて、地層と地層の境、つまりかつて地表面であったある地層の上面を、鋭く見極めることができるのだろう。そしてそこに残された石器を、目ざとく発見することができるらしい。また、彼は何回も何回も同じ遺跡に通い、石器の出そうな場所を探り、鋭い眼で石器が含まれている地層を見分ける。長年培《つちか》った勘が、遺跡が隠されていそうな地形と石器の臭《にお》いを嗅《か》ぎ分けるのであろう」

眼で、臭いで、石器を嗅ぎ当てます。もう超能力者扱いです。

鎌田理事長は藤村氏の超能力者ぶりを熱っぽく語ります〈注9〉。

「上高森遺跡の遺構はその上に人の影が揺らめくのを見て藤村が発見した」

「発掘していても何も出てこない。藤村がやってくる。翌朝、風が吹くと昨日まで何も出なかったところの土が飛んで石器がぱあっと現れてくる」

「ある日、藤村が鎌田氏にどこそこのローム層の壁を叩いてみよと言った。鎌田氏が言われたその場所を叩いてみると本当に上方から石器が落ちてきた」

最後の話は、藤村氏が東京都の多摩ニュータウンから旧石器を出したときのエピソードです。

考古学者の悪夢

東京都教育庁の小田《おだ》静夫《しずお》（1942〜）主任学芸員は、座散乱木遺跡などの旧石器研究はおかしいと批判しました〈注10〉。

「岡村道雄・鎌田俊昭ら」が「唯一3万年以前の位置づけに利用する年代測定値は、測定資料の安定性、測定方法の信頼度などの問題点が山積みされている現状からして、直ちに使用できない」と、小田主任学芸員は指摘します。

「石器や石製資料の出土状況にも問題が」多くあります。「石器は全て単品であり、石器を作った形跡が」認められません。また「石器が水平に出土」しています。

小田主任学芸員の指摘は今から思えばどれも正しすぎるほど正しいものです。

「宮城県北部は多数の火山が分布し、多量の火砕流が頻繁に流れ出し、軽石の降下、大雨による洪水など自然災害が多発」しています。「こうした生活環境が不良な場所に連綿と居住した要因は何ん《ママ》であろうか理解に苦しむ」

もう宮城県の居住性までけちょんけちょんです。

「彼らは南関東地方の発掘が武蔵野ローム層にまで及んでいないと力説するが」「東京都多摩ニュータウン地域では毎年15ha以上の広い面積を全掘しており」「研究者の眼も行きとどいているのである。しかし、依然として3万年を越える古さの遺跡は発見されていない。なぜ、日本の前期旧石器時代の遺跡は、生活環境条件が劣悪な宮城県にのみ集中するのか説明して頂きたい」

これは痛烈です。多摩ニュータウン遺跡は宮城県の遺跡よりも綿密に調べられているのに、旧石器は出てこないではないか、住みにくい宮城県で出土するのはおかしいというわけです。

小田主任学芸員の指摘に対して、藤村氏はゴッドハンドをもって応えました。

鎌田氏（この時点では理事長ではない）と藤村氏は東京都稲城《いなぎ》市多摩ニュータウン遺跡群を1986年4月と12月に踏査しました。古い石器は見つからず、翌1987年5月8日に再踏査することにしました。

ところが藤村氏はこの再踏査に急に参加できなくなりました。そこで鎌田氏が藤村氏に電話したところ、藤村氏はなんと石器が出土する場所を予言したのです〈注4に同じ〉。

そして予言どおり、多摩ニュータウン№．471―B遺跡（2001年出土品文化財指定解除）の約5万年前の地層から旧石器が鎌田氏によって発掘されます。鎌田氏の言葉によれば「言われたその場所を叩いてみると本当に上方から石器が落ちて」きました。

これまで小田主任学芸員が探索してきた武蔵野台地の隣の多摩丘陵から、いとも簡単に前期旧石器なるものが発見されたことになります。赤恥をかかされた形になった小田主任学芸員は、以後前期旧石器については沈黙し、黒潮の研究に移ります〈注11〉。

それにしても、まっとうな反論をすると庭先から反証を掘り出されてしまうというのは、考古学者にとっては悪夢です。ゴッドハンドはなんとも恐ろしい相手です。

「教育委員会」対「神の手」

藤村氏のゴッドハンドは宮城県教育委員会の不遜《ふそん》にも天罰を下します。

宮城県築館町高森《たかもり》遺跡（旧石器時代以外の遺跡として登録継続）は藤村氏、鎌田氏ら石器文化談話会のメンバーが踏査して1988年に石器を発見したことから本格的な調査が始まりました。

しかしそこへ東北歴史資料館（宮城県教育委員会）が乗り出してきて、1991年の第二次発掘調査からは談話会はわき役扱いされます。

「窮屈」を感じた鎌田氏と藤村氏、東北福祉大学の梶原洋《かじわらひろし》（1952〜）助手らは、1992年8月28日、NPO法人東北旧石器文化研究所を設立しました。

1993年5月13日に宮城県教育委員会が記者会見し、高森遺跡を「日本最古の約50万年前の遺跡」と発表しました。「日本で北京原人とほぼ同時期の原人の存在が決定づけられた」というニュースは、日本の歴史を塗り替える大発見と受け止められました。けれども記者発表では、ほとんどの石器を藤村副理事長が発掘したことは触れられませんでした。談話会の功績は「一部にアマチュアの協力を得て」という一言だけでした。談話会と東北旧石器文化研究所のメンバーは不満を募らせました。鎌田理事長は、「高森遺跡は、とんびに油揚で、東北歴史資料館に業績を横取りされたという感じだ〈注5に同じ〉」と語ります。

そこで鎌田理事長や藤村副理事長はさらに古い遺跡を求めて踏査を始めました。1993年11月、高森遺跡から500メートルの距離にある上高森遺跡をゴッドハンドが掘ると、約40万年前の旧石器が転がり出ました。

1994年10月には宮城県教育委員会主催のシンポジウム「日本最古、高森遺跡の年代を探る」が開催されました。この挑戦を受けて、ゴッドハンドはまた動き、高森遺跡の50万年前の地層よりさらに70センチメートルから1メートル深い層から、火で焼けた石器などを発見します。大発見です。シンポジウムの最中に記者発表が行なわれ、マスメディアは高森遺跡に代わって「最古の上高森」を大々的に取り上げました。おかげで「シンポジウムは完全にふっとんじゃ」うことになりました〈注3に同じ〉。

高森遺跡は、藤村副理事長が発掘に参加しなくなってからは石器出土がぱったり途絶えました。1994年11月の第四次発掘調査では「調査員の落胆ぶりが見るも気の毒なほど〈注12〉」でした。高森遺跡の発掘調査は第四次を最後に打ちきられました。

こうしてゴッドハンドによって宮城県教育委員会・東北歴史資料館の面子《メンツ》は「丸つぶれ」になりました。

原人ラーメン、原人クッキーにマスコットまで

ゴッドハンドはもう怖いものなしです。学説も常識も無視して次から次へと驚きの大発見を掘り出します。

1995年10月、上高森遺跡で60万年前の奇妙な遺構が見つかります。楕円形《だえんけい》の穴の中に15点の石器が意味ありげにきちんと並べられている、世界でも例のない「石器埋納遺構」です。

数十万年前に世界各地に住んでいた原人とホモ・エレクトスは、脳の容量が私たちホモ・サピエンスの半分程度しかなく、高度な精神活動はできなかったと考えられています。手先も不器用で、石を磨いた新石器を作ることができず、粗削りの旧石器を使っていました。

それが石器を並べて何らかのアートを作るとは、これまでの通説をくつがえす新事実です。日本列島には原人の天才がいたのでしょうか。

藤村氏はこの石器アートを「T字状を男性の、U字状を女性の性器シンボルと想定〈注13〉」しています。「男性性器シンボルは」「女性性器シンボルに奥深く入り込んでいるように見えるが、考えすぎだろうか」

ほかならぬ藤村氏の解釈なら、考えすぎではないでしょう。上高森遺跡の石器埋納遺構は性器を表しているのです。ここには、便所に落書きする現代人に匹敵する知性が感じられます。

「六〇万年前の高森原人は、私たちに共通する美意識を持っていました。美しさに感動する心の歴史は古いのです〈注14〉」と国立歴史民俗博物館の佐原真《さはらまこと》（1932〜2002）館長は述べています。こうして石器埋納遺構は本にも載り、博物館館長や大学教授がありがたがって論じました。この石器アーティストが知ったら、してやったりと、ほくそ笑《え》んだでしょう。

藤村副理事長の石器は1998年に60万年以上前、1999年には70万年以上前と、日本記録を年々更新しました。じきに100万年に達する勢いです。藤村副理事長自身も「（芹沢）先生の米寿の祝いに100万年前の石器を掘り出したい」と語っています〈注2に同じ〉。

上高森遺跡は高校日本史Bのほとんどの教科書に載りました〈注15〉。

築館町は「こんなに嬉しいことはない。国の宝だ」と喜び、「原人の里」として町おこしにとりかかりました。キャッチフレーズは「原人が見上げた空のある町」です。町の商店では原人まんじゅう、原人ラーメン、日本酒高森原人が発売され、原人綱引きや原人マラソンが開催されました。日本に広がる原人ブームの始まりです。

埼玉県秩父市もブームに乗ります。藤村副理事長によって1999年6月には35万年前の長尾根《ながおね》遺跡（2001年登録抹消）が発掘され、2000年2月には小鹿坂遺跡で50万年前の建物跡や石器埋納遺構が見つかり、7月にはついに墓穴の発見です。原人祭りが開催され、原人大福や原人クッキーが発売されます。マスコットは「秩父原人チップー」です。

しかしブームは2000年11月5日、突然の終焉《しゅうえん》を迎えます。

発覚後、周囲の研究者たちは

捏造《ねつぞう》の規模がどれほど大きいか、事態がどれほど深刻か、当初は誰もわかりませんでした。

2000年11月4日の夜、藤村副理事長は毎日新聞社取材班に証拠映像を突きつけられ、上高森遺跡と総進不動坂遺跡は捏造行為を認めました。

その場に駆けつけた鎌田理事長と梶原教授も、映像を観て顔色を変えました〈注5に同じ〉。

梶原教授は、まさかこれまでのすべてが捏造とは思わず、

「埋めたものならすぐ分かる。土が全然違うから。現代の人間がどんなに固めても、締

まり方が全然違う」と自分にいい聞かせました。

しかし実際には、梶原教授がこれまで本物と思っていた旧石器は、ほとんどが藤村副理事長の埋めたものだったのです〈注8に同じ〉。

鎌田理事長は藤村副理事長に、

「あんたのプライドと業績と、我々含めてかかわった人間がもっとも傷が少なくなるためには、ここはごめんなさい、ここは間違いないと、天地神明に誓って言うしかない」と、捏造箇所を正直に告白することをうながしました。

しかし藤村副理事長は25年前、初めて鎌田氏と旧石器を発掘して「手を取り合って」喜んだそのときから、捏造を行なっていたのです。


スクープが掲載された2000年11月5日、藤村副理事長らは記者会見を開き、毎日新聞の報道とほぼ同内容のことをしゃべります。その日のうちに藤村副理事長は宮城県松島町の臨済宗妙心寺派瑞巌寺《ずいがんじ》に身を隠し、11月中に東北地方の病院に入院します〈注16〉。残された東北旧石器文化研究所のメンバーは気の毒に、世間の怒りと責任追及に張本人に代わって対応する羽目になります。

岡村調査官は、藤村副理事長を5ページにわたって紹介した著書『縄文の生活誌』が出たばかりでした。正しい歴史を早く書きたいと述べつつ、馬場壇A遺跡（旧石器時代以外の遺跡として登録継続）などは捏造ではなかったと弁明します〈注12に同じ〉。

本物である根拠として、あてずっぽうに地層に石器を差し込んでも、年代的に整合性がなく、生活面と一致しないなど、矛盾が生じるといいます。

しかし藤村副理事長が石器を見つける地層は、年代的な不整合や地質学的な矛盾が実際にありました。座散乱木遺跡の石器はヒトの住むはずのない火砕流の層から出ていたことが、当初から指摘されていました。研究者は、どうもそういう解釈に困る部分を見落として、学説に合うところだけ拾ってしまう傾向があるようです。

また脂肪酸による動物種の同定や、熱残留磁気によるたき火跡の検出、電子スピン共鳴法による年代測定などの自然科学的手法も、前期旧石器遺跡という説を支持していると岡村調査官は述べました。

しかしまことに残念なことに、自然科学の研究者もやはり解釈に困る部分を見落として、考古学研究者の期待に沿って結果を出す傾向があるようなのです。岡村調査官のあてにしていた自然科学的測定方法は、さほど信頼できるものではありませんでした。

一方、「１００万年前までの石器を早くみつけてほしい〈注17〉」と発言し、「藤村さんが日本国中を歩いたら、旧石器の遺跡は今の何十倍にも増えるのではないかと思います（笑い）」と無邪気に喜んでいた芹沢名誉教授は、

「新聞は私を藤村君の恩師だと書いているが、そもそも彼は高卒で、私の教え子ではありません〈注18〉」と、ひどい手のひらの返しようです。

「私の推薦で彼が何かの賞（相沢忠洋《あいざわただひろ》賞）を受賞したが、よく考えずに推薦してしまったことは不注意だったかもしれない。今となっては、私の名前を出されることは迷惑だ」

ついでに相沢忠洋賞まで「何かの賞」呼ばわりです。

最大規模の検証

日本考古学協会は２００１年５月に「前・中期旧石器問題調査研究特別委員会」という長い名前の会を立ち上げ、２００１年10月と２００２年５月に中間報告を出します。２００３年５月には、25年間、約２０００遺跡から「出土」した約３０００点の石器を点検した６００ページ以上の『前・中期旧石器問題の検証』をまとめます。本書に並ぶ各

分野の調査報告のうち、規模もボリュームも最大の作品です。

結論は、藤村元副理事長のかかわった旧石器はほとんど学術的根拠のないものと判断されるというものでした。

特別委員会は石器文化談話会の古い活動記録を調べ上げ、当時から名人と呼ばれていた藤村氏の石器発見率を計算しました〈注8〉。藤村氏が参加していない発掘では石器を見つける率が20パーセントでしたが、藤村氏が参加したとたんこれが90パーセントに跳ね上がることが判明しました。談話会の活動は藤村氏の埋めた石器を掘り出す発掘ごっこだったのです。

特別委員会は藤村氏の自宅から段ボール9箱の石器や土器、瓦などを見つけました〈注19〉。藤村氏が独自に収集した縄文時代の石器などと思われます。この「藤村コレクション」を発掘現場にこっそり埋める単純な手口が、四半世紀にわたって人々を騙《だま》し、尊敬を勝ち得ていたのです。

ところで特別委員会の戸沢充則《とざわみつのり》（1932～2012）委員長は、2001年5月から9月にかけて、病院で藤村氏と面会しました。藤村氏は42箇所の遺跡捏造を認め、遺跡名、日付や手口などを記した「藤村メモ」を渡します。

このメモは、特別委員会の調査と矛盾する点があって、そのまま信じるわけにはいかないのですが、それよりも話題となったのは、奇妙な黒塗りです。宮城県教育委員会がリークした藤村メモは、戸沢委員長によって「プライバシー配慮のため」一部黒塗りされていました。

この黒塗りは疑惑を呼びました。消された部分には、捏造の共犯者が記されていたのではないか、戸沢委員長は共犯者を隠蔽《いんぺい》しているのではないかと憶測する人が出ます〈注20、21〉。

しかし毎日新聞旧石器遺跡取材班の『古代史捏造〈注16に同じ〉』によれば、黒塗り部分に書いてあったのは、「分身A」「分身B」などの言葉で、共犯者を意味するような内容ではありませんでした。

戸沢委員長も人騒がせなことをしたものです。

まとめと評価——働かなかった「科学の捏造排除機能」

● 発表から撤回まで……17年

●ストーリーの科学的インパクト……原人進化級
●捏造の巧妙さ……発覚まで60日程度
●社会的影響……国内で大、国外では微小
●総合……☆☆

日本考古学協会は2003年5月24日付けで、「捏造と判断された事実や資料に基づくため旧石器時代研究資料として利用してはならない図書」のリストを発表しています。このリストのうち、藤村氏を共著者とするもので最古のものは、1986年なので〈注22〉、17年を発表から撤回までの期間としておきます。ルィセンコ学説に次ぐ長さです。

藤村氏の発掘により、70万年前から日本列島に原人が住み、火を使ったり石器でアートを作ったりしていたことが証明されるところでした。原人の知能の評価が変わる成果です。

捏造の巧妙さをどの数字で表すか難しいところですが、小田主任学芸員の反論論文によると、1986年2月2日のシンポジウムで疑念を持ち、1986年4月5日に反論論文が投稿されています。この約60日間を示しておきます。

考古学は多くの日本人が関心を抱く分野で、捏造は大きく報道されました。文化行政にも影響がありました。しかしこの事件は国外ではさほど注目されず、影響は限定的でした。総合として、星2個としておきます。世界に通用する捏造ではないため減点です。

科学には免疫が備わっていて、(時には遅いが) 捏造を検出して排除するというのが、本書の基本的な立場です。しかし旧石器捏造事件は、この信念をぐらつかせます。小田主任学芸員や共立女子大学の竹岡俊樹《たけおかとしき》 (1950〜) 非常勤講師、角張淳一《かくばりじゅんいち》 (1960〜2012) 氏など、藤村氏の成果を疑う研究者はいました。はっきり捏造と指摘する声もありました。しかしそれらの声は考古学研究者にあまり影響を与えていなかったようです。結局、藤村氏の捏造は学会内部の指摘だけでは暴くことができず、毎日新聞の取材によって発覚しました。これでは学問の方法に信頼が持てません。

岡村調査官は、藤村氏の捏造が自然科学による検証で支持されていると主張しました。これはつまり、自然科学も予見や先入観とは無縁ではなく、結果が思い込みで左右されることを意味するのでしょう。どうも様々な不安を呼び起こす事件です。

科学においては検証可能性が重要です。誰がやっても同じ結果が再現できるのが科学の根本原理です。もし超能力者や神の手でないと出せない結果があるなら、それは何か深刻で異常な事態が進行している徴候です。

この事件では多くの人がそれを忘れていたようです。

教訓 科学に神の手はない。

〈注1〉岡村道雄、2000、『日本の歴史01 縄文の生活誌』(旧版)、講談社。

〈注2〉1998/11/24、毎日新聞。

〈注3〉藤村新一、梶直子取材協力、2000、『私には五〇万年前の地形が見える』、現代、11月号。

〈注4〉岡村道雄、2010、『旧石器遺跡捏造事件』、山川出版社。

〈注5〉毎日新聞旧石器遺跡取材班、2001、『発掘捏造』、毎日新聞社。(2003、新潮文庫版を使用。)

〈注6〉2000/11/05、毎日新聞。

〈注7〉河合信和、１９８７、『最古の日本人を求めて』、新人物往来社。

〈注8〉佐々木和博、２００３、『捏造の始原』（前・中期旧石器問題調査研究特別委員会編、２００３、『前・中期旧石器問題の検証』、日本考古学協会所収）。

〈注9〉竹岡俊樹、２０１４、『考古学崩壊』、勉誠出版。

〈注10〉Shizuo Oda, Charles T. Keally, 1986, “A critical look at the Palaeolithic and ‘Lower Palaeolithic’ research in Miyagi Prefecture, Japan,” 人類学雑誌 J. Anthrop. Soc. Nippon, vol. 94, p325.

〈注11〉春成秀爾編、２００１、『シンポジウム 前期旧石器問題を考える 発表要旨』、国立歴史民俗博物館春成秀爾研究室。

〈注12〉松藤和人、２０１０、『検証「前期旧石器遺跡発掘捏造事件」』、雄山閣。

〈注13〉藤村新一、１９９８、『上高森遺跡』、歴史と旅、12月号。

〈注14〉佐原真、１９９９、『大昔の美に想う』、新潮社。

〈注15〉勅使河原彰、2003、『捏造事件が教科書に与えた影響』(前・中期旧石器問題調査研究特別委員会編、2003、『前・中期旧石器問題の検証』、日本考古学協会所収)。

〈注16〉毎日新聞旧石器遺跡取材班、2002、『古代史捏造』、毎日新聞社。本書では、2003、新潮文庫版を使用。

〈注17〉芹沢長介、2000、『岩宿から上高森まで』(日本考古学協会編、2000、『日本考古学を見直す』、学生社所収)。

〈注18〉2004/04/18、週刊新潮。

〈注19〉小野昭、佐藤宏之、2003、『藤村コレクション』(前・中期旧石器問題調査研究特別委員会編、2003、『前・中期旧石器問題の検証』、日本考古学協会所収)。

〈注20〉奥野正男、2004、『神々の汚れた手』、梓書院。

〈注21〉角張淳一、2010、『旧石器捏造事件の研究』、鳥影社。

〈注22〉鎌田俊昭、藤村新一、1986、『宮城県古川市馬場壇A遺跡の調査』、日本考古学協会総会研究発表要旨、第52回。

【や行】

【ら行・わ行】

【ま行】

【な行】

【は行】

【た行】

【さ行】

索引

【アルファベット】

【あ行】

【か行】

本書は2015年7月にdZEROより発行された『科学者はなぜウソをつくのか』を
加筆・再編集したものです。